海外漢文古醫籍精選叢書·第二輯

2011—2020年國家古籍整理出版規劃項目
中國中醫科學院「十三五」第一批重點領域科研項目
——我國與「一帶一路」九國醫藥交流史研究（ZZ10-011-1）

蕭永芝◎主編

新鐫海上懶翁醫宗心領全帙 貳

（越）黎有卓 撰

北京科学技术出版社

圖書在版編目（CIP）數據

海外漢文古醫籍精選叢書・第二輯・新鐫海上懶翁醫宗心領全帙　貳/蕭永芝主編. —北京：北京科學技術出版社，2018.1
ISBN 978－7－5304－9223－9

Ⅰ. ①海…　Ⅱ. ①蕭…　Ⅲ. ①中醫典籍—越南　Ⅳ. ①R2-5

中國版本圖書館 CIP 數據核字（2017）第208357號

海外漢文古醫籍精選叢書・第二輯・新鐫海上懶翁醫宗心領全帙　貳

主　　編： 蕭永芝
責任編輯： 張　潔　周　珊
責任印製： 李　茗
出 版 人： 曾慶宇
出版發行： 北京科學技術出版社
社　　址： 北京西直門南大街16號
郵政編碼： 100035
電話傳真： 0086-10-66135495（總編室）
0086-10-66113227（發行部）　0086-10-66161952（發行部傳真）
電子信箱： bjkj@bjkjpress.com
網　　址： www.bkydw.cn
經　　銷： 新華書店
印　　刷： 虎彩印藝股份有限公司
開　　本： 787mm × 1092mm　1/16
字　　數： 455千字
印　　張： 39
版　　次： 2018年1月第1版
印　　次： 2018年1月第1次印刷
ISBN 978－7－5304－9223－9/R・2384

定　　價： **980.00元**

海外漢文古醫籍精選叢書・第二輯

新鐫海上懶翁醫宗心領全帙　貳

（越）黎有卓　撰

新鐫海上医宗心領全帙卷之三

医海求源集

小引

古人云讀書取義為難然取義非難辨理為難理外之見為尤難余棄儒就医二十餘載卧薪嘗胆刻意求成期以医理到底不關榮辱世事淡濃總付嶺頭雲一點結廬林下閉門攻書遍求百家諸子日夜講究每得先哲格言書之屏几反覆辨論寤寐沉思凡理在言外神

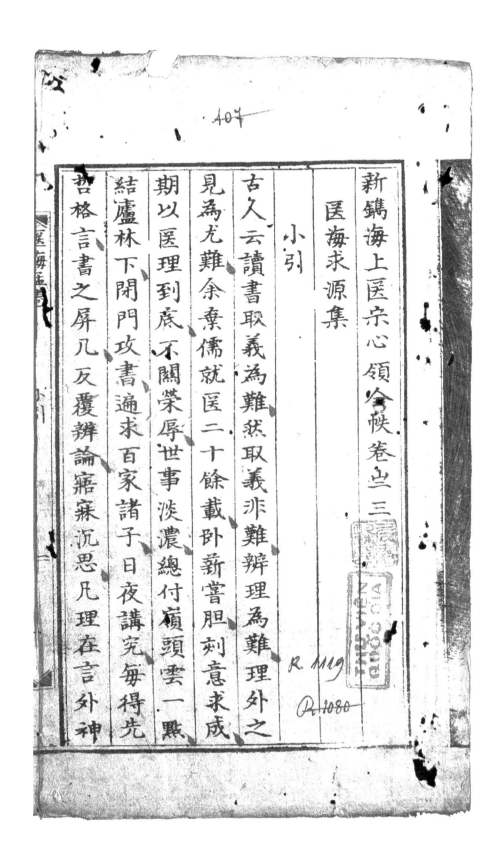

思聞推而得之者引類旁求愈出愈巧如環之無端不知其底止矣昔王生學丹青泛舟五湖飽看暮雪朝煙嵐光吞吐弄出天眞資之以爲筆法後乃能絶妙入神此不師其人而師造化之大效也余學医奉先哲格言會成一揆目則觀之口則誦之行則携之坐則思之自言如相對自語如相歡後臨異症多能格外之見言外之聞豈非深得之有自哉余亦感嘆曰師今人不如師古人也家兄見而異愛之命余註釋以爲医家傳授之

心法余曰此皆言外之理一以貫萬何可形容旡曰九仞之山豈不資於一簣乎若杳開一徑路何以爲後人梯階余乃依命承上文意旨字中之義義中之理近可依據者辨别註解書成顔之曰医海求源分爲三卷曰孟仲季問津之一助耳然是書也會之則一理散之則萬殊寔非紙筆間之可以名狀願有志者觸類旁通神而明之医囊無底矣

黎氏别號海上懶翁引

景興萬萬年之四十三春月穀日

医海求源孟卷

海上懶翁黎氏纂輯
後學唐鄙武春軒奉載

陰陽篇 該四十三章

陰陽者虛名也

夫無極而太極太極動而生陽靜而生陰呼吸升降為天地盈虛消長之氣本無形也天地間萬物胚胎胞卵形化氣化有覺有生莫不各稟陰陽之氣以成

形書曰雖爲無形之虛寔爲有生之本又曰寒暑者陰陽之德也水火者陰陽之徵兆也

陽道寔陰道虛天包乎地陽統乎陰易畫卦離中虛坎中滿此陽體寔陰體虛也夫男女初生率稟純陽之質男二八女二七天癸即真陰也始至齒更髮長男八八女七七天癸竭而產育無算來一生之受用不過數十年而陰精已告竭矣經曰人生四十陰氣自半半即衰也豈非陽常有餘陰常不足之明驗乎

陰在內陽之守也陽在外陰之使也　陽分主表陰分主裏陽主動陰主靜陰乃陽之基故為陽之鎮守陽作陰之衛故為陰之役使譬如一家主父母接外應物者主父治內藏納者主母

陽密乃固陽彊不能密

火中無水則為烈火陽中無陰則為陽彊蓋陽為陰吸而不能上升倘陽無陰濟則浮越而不密也經曰陰平陽秘精神乃治此至理也

陽火之根本于地下陰火之根本于天上

心為陽火腎為陰火陽不能降離中虛故心中含赤液真陰在焉而本乎下陰不能升坎中滿故腎中藏白膜真陽在焉而本乎上書曰龍潛海底龍起而火隨之元陽藏于坎府運用應于離宮正此謂也

陽氣者精則養神柔（一作血字）則養筋

精與血對言精清為陽血濁為陰精血與神氣對言精血有形為陰神氣無形為陽氣中之精者乃陽中陰也然精清者又為陰

中之陽故能養神陽體剛陰體柔剛中之柔者乃氣中血也然血濁乃為陰中之陰故能養筋故凡症見陰虛則神衰血枯則筋攣

神靜則陰生形役則陽亢　人身之神貴於藏而黙用書曰存神以養陰此神不可外馳也陰好靜陰靜而血生若形役則傷陰而損血陽中無陰陽得獨亢必有焦枯之患

多陽者多喜多陰者多怒　陽為春夏發生之機陰為秋冬肅殺之氣陽象火陰象水火性炎上主喜笑水性

潤下主沉欝故凡病見陽症者多笑見陰症者多怒盍試觀諸人事子孫榮旺之輩喜氣悠悠春風滿面孤獨貧窮之人容光慼慼怒氣吞人豈非陽主生陰主殺之徵兆乎

陽為生之本陰寔死之基　此陽主生陰主殺也盖陽即火火即氣萬物無氣則屬死灰矣譬觀花草向陽則榮茂扶踈向陰則痿黄劣弱矣医餂重温熱而遠苦寒此向陽背陰就生舍死之要道也

分陰未盡則不僊分陽未盡則不死　此道家玄語也

陽

凡脩煉而一分之陰氣未盡則不成僊亦猶人病范篤而一分之陽氣未盡則不致死蓋導引之法以腎火爲丹爐以命火爲丹毒以嚥津服氣爲鉛汞音孔七七脩煉通任會督以鼓群陰要一真之氣盡變純陽而後已錦囊先天論有引僊經曰兩腎中間一點明逆爲丹毒順爲人此語人多難解是深指真精而言也逆乃閉而守之則爲丹毒順乃交媾而慾泄之乃成胎孕

陽之清者爲元氣濁者爲陰火陰之清者爲津液濁者爲

痰涎　陽者火也氣也清者爲無形之少火濁者爲有形之壯火陰者水也血也清者爲衞生之玄漿道家稱津液曰玄漿曰玉液濁者爲害人之陰翳故曰益火之源以消陰翳亦此理也

陽微者不能呼陰微者不能吸陽病者不能俯陰病者不能仰　微即虛也陽主出呼則氣出氣短不能呼陰主納吸則氣入力乏不能吸人身背屬陽腹屬陰病於背安能鞠躬病於腹安能偃臥

陽盛則瞋目陰盛則瞑目　陽主動陰主靜日則陽盛於外夜則陰盛於內陽盛則寤陰盛則寐經曰平旦陰盡陽氣出于目目張則氣上行於頭夜則氣行於陰而合目

陽氣者若天與日失其所則損壽而不彰

陽爲生生之氣天無此則不能生物人無此則不能以有生譬如天與日失其所而不彰則陰霾四起翻成滲淡乾坤人之陽氣微則夭折故求生之要惟以保重真陽爲首務

陽病者上行極而下陰病者下行極而上

陽本升陰本降然升極則降降極則升理之常也況陰病則陽乘之而升陽病則陰乘之而降故補中湯以升爲降六味丸以降爲升深得陰陽自然之至理寔非補中之所升地黄之所降也

陰之病来緩去亦緩陽之病来速去亦速

陰屬水本潤下而主沉静陽屬火本炎上而主急速經曰久病非陽暴病非陰亦此理也

陽虛生外寒陰虛生內熱陽盛生外熱陰盛生內寒

陽屬火本熱而主表陰屬水本寒而主裏若陽虛則陰往乘之而外寒陰虛則陽往乘之而內熱若陽盛則本外熱陰盛則本內寒此自旺於本分而無所勝也

陽浮者熱自發陰弱者汗自出

熱者陽也火也火性炎上土虛不能藏陽水虛不能制火故火得妄行浮越於腠表而發熱汗者水也陰也陰主閉藏陰弱則陽乘之陰為陽擾而汗自出此自汗非獨陽虛也

陰虛之極陽必厥陽虛之極陰必燥　陰虛則陽乘之陽無陰斂而過亢此火極似水故曰熱深厥亦深陽虛則陰乘之陰無陽衛而寒泣此氷極似火故曰燥屬陰也

陽氣不能上升名為格陰氣不得下降名為噎

陽本升為陰格而不能升陰本降為陽閉而不得降故症見上不得入下不得出此為關格矣凡惱憹而吞酸與噯氣而噎格而翻胃乃關格之發端也

陽生於熱熱則舒緩陰生於寒寒則攣急

熱則氣散氣散則支絡横解而舒緩寒能泣血泣血則
經脉結束而攣急書曰血中無氣則病爲緩縱癈弛氣
中無血則病爲抽掣拘攣此深旨也當思而得之
陽邪化熱熱則傷氣陰邪化寒寒則傷形
陽屬熱陽本無形而主氣陰屬寒陰本有形而主血壯
火蝕氣肺主氣火能尅金故熱必傷氣寒能泣血血潤
臟肉故寒必傷形
陽不足則寒濕凝泣陰不足則火熱沸騰

陽本熱陰本寒陽不足則陰乘之而爲寒濕是無火也
陰不足則陽乘之而爲熱沸是無水也
陰氣少陽氣勝故身熱而煩滿也陽氣少陰氣多故身寒
如從水中出　　陽本熱陰本寒陰陽要均平若虚則
偏勝故煩滿之症是陰虚也身寒之症是陽虚也可見
肥人陰勝陽饑膚冷如冰雪
陽氣衰于上則爲寒厥陰氣衰於下則爲熱厥
厥症有陰陽非獨厥爲寒也大凡陰衰則陽勝陽衰則

陰勝陽性熱陰性寒

陽虛則氣脫而神氣爲之昏亂陰虛則血敗而四肢爲之廢弛　陽即火火即氣氣生神氣虛則不能行虛靈之用而神氣爲之昏亂此神不守舍也陰屬水水屬血血生肌肉血虛則不能榮筋骨之用而四肢爲之廢弛此癱瘓之由也

陽盛則欬衂陰虛則小便難　陽生火火性炎上盛則逼血妄行而欬衂陰虛則火起而刑金肺失治節水無氣

不化而小便難

陰氣上乘入陽中則惡寒陽氣下陷入陰中則發熱

陽在外陰在内陽主熱陰主寒陰乘于表則惡寒陽陷于裏則發熱此陰陽偏勝往復之理也故曰陽虚生外寒陰虚生内熱

陰虚陽必湊發熱而盜汗陽虚陰必乘發厥而自汗

人之汗猶天之雨也此汗水類也屬陰也陰主内陽主外陰虚不能内守爲陽所擾水從火出發熱而盜汗故曰

盜汗屬陰虛陽虛不能外衛陰得乘陽發厥而自汗故曰自汗屬陽虛

陰中不可無陽陽中不可無陰陽賊陰則爲焦枯陰賊陽則爲寂滅凡諸爲病者無非陰陽相賊而失其和耳

陽根於陰陰根於陽陰陽不可相離也陽屬火陰屬水陽勝陰則火浮越燎野焚原精血焦枯矣陰勝陽則肅殺令行萬機皆息神氣寂滅矣凡人之百病靡不由於陰陽偏勝死生繫焉

陰畏陽之亢所以陰遇陽邪非枯則槁陽畏陰之毒所以

陽逢陰毖不走即飛此陰陽相妬之機也

非涸則槁此言其玄府焦乾五液枯竭也不走即飛此

言其炎勢力窮真陽離脫也書曰壯水之主以制陽光益

火之源以消陰翳誠為水火之真藥陰陽之對症也

脫陰者目盲脫陽者見鬼氣血病源二篇皆言氣脫目不明此言脫陰者目盲是知

目之明非獨火也真陰係焉書云陰不能歸明於目又曰目得血而能視此無

陰則昏晦神光神膏神水非真陰乎然神明之用更主於真

陽若神明無主則邪得以亂正故脫陰則目盲脫陽則見鬼

陽氣有餘爲身熱無汗陰氣有餘爲身寒多汗

邪盛於表則火欝於裏故身熱無汗乃見陽氣有餘也

正虛於中則陰氣內起故身寒多汗此陰勝陽也

陽病則旦靜陰病則夜寧陽虛則暮亂陰虛則朝爭

言病者本陰陽自病也言虛者乃有所勝也陽虛則陰勝陰虛則陽勝陽病旦靜乃陽喜陽助陰病夜寧乃陰喜陰助陽虛暮亂乃陰勝陽分也陰虛朝爭乃陽勝陰

分也若寔邪之候則反此陽邪盛則朝重暮輕陰邪盛則朝輕暮重此陽逢陽旺陰得陰彊也又有病乍作乍止或暮或旦或晝或夜此正氣不能主持陰陽勝負交相錯亂也

陽汗者熱汗也陰汗者冷汗也人但知熱能致汗而不知寒亦致汗

人之汗者天之雨也天氣蒸鬱而致雨人氣熱鬱而致汗此熱能致汗人皆知之然寒亦能致汗名曰冷汗人所難曉如大驚大恐而出汗者是也經曰陰氣有餘身寒多汗亦此理也

寒熱往来乃陰陽相勝陽不足則先寒後熱陰不足則先熱後寒　上盛則發熱下盛則發寒皮寒而燥者陽不足皮熱而燥者陰不足皮寒而寒者陰盛也皮熱而熱者陽盛也陽本熱陰本寒陰陽相爭則寒熱往来陽虚陰勝則先寒陰虚陽勝則先熱上為陽分上盛則發熱下為陰分下盛則發寒皮寒而燥者陰勝陽也皮熱而燥者陽勝陰也純寒者陰盛陽虚也純熱者陰虚陽盛也

陰虚不勝其陽則血脉流薄疾併乃狂陽虚不勝其陰則

五臟氣爭九竅不通

大凡狂越之症多得於火於熱陰不能勝陽陽獨亢也

癃閉之病多得於水於寒陽不能統陰陰偏盛也

陰病發於骨陽病發於肉陽病發於冬陰病發於夏

骨在內屬陰血肉亦皆陰類然血有行動為陰中之陽

冬至藏陽夏至伏陰故病之起處亦各從其類也

邪入於陽則狂邪入於陰則痺搏陽則為癲搏陰則為瘖

陽入於陰則靜陰出於陽則怒是為五亂

邪入陽則火熾而狂邪入陰則血凝而痺搏陰搏陽乃陰陽交爭陽本動入陰則靜陰本靜入陽則怒陰陽離鈌精神乃絶　人之有生全賴陰陽升降水火互用然陰根於陽陽根於陰相爲體用若陰離則精散陽鈌則氣絶形壞而亡矣

平旦陰盡陽氣出於目目張則氣上行於頭夜則氣行於陰而復合於目　日則陽氣用事陰行於陽夜則陰氣用事陽行於陰故陽動則寤陰靜則寐

真陰真陽虧損譬猶樹之無根　腎中真陰真陽乃身中之太極為有生之本立命之基故曰傷寒危篤當診太谿太谿猶存則回生有日太谿腎脉也又曰人之兩尺猶樹之有根枝葉雖枯槁根本猶存灌溉以圖發榮

發熱惡寒發於陽無熱惡寒發於陰　寒邪外束於表正氣拂鬱於中故發熱而惡寒元氣衰弱於裏寒邪直入故症見純陰

水火篇　二十五章

水火者寔體也　水火乃陰陽之徵兆∴為陰陽之寔體日月者水火之精寒暑者水火之用生物者火也潤物者水也無火則寂滅無水則焦枯故五行之中惟水火獨重金木土皆從寄生其死不救水火則從真生其死不死絕處逢生蓋隨處有生機也鑽木可取擊石可取圓珠可取方諸可取掘地取水承露取水至於生尅妙用則變化無窮矣在人離心坎腎此為後天有形之水

火也豈若先天無形之真水真火爲立命之基爲有生之本書曰医家能窮水火。無形之妙用其於医理思過半矣

真火爲陽之根真水爲陰之本　腎有兩枚曲附于脊中間是命門穴所居之宮左旁一白竅爲真水右旁一白竅爲真火爲陰陽之根本爲氣血之父母

水之精爲志火之精爲神　水主沉靜火主光明故水屬腎而藏志火屬心而藏神蓋意所存謂之志非沉靜能之乎事逆覩謂之神非光明能之乎

火為水之主水即火之源水火之源不可相離也
後天有形之水火本是尅賊先天無形之水火則相生合水無火主則為無氣之寒水安能潤物火無水源則為焦物之烈火豈能發生故曰水中求火其明不息火中求水其源不竭夫心配離而生血是陽中有陰即真陰也腎配坎而生氣是陰中有陽即真陽也必心中含赤液乃腎中之真水腎中藏白膜乃心中之真火此所謂陰根於陽陽根於陰互為其根交相為用而不相離

也萬物終始神機變化莫能外乎此也

無形之火則生生不息窈窈冥冥爲先天之化爲後天之神爲死生之母爲玄牝之門　至哉太極中分真陽一點即腎中無形之命火也爲立命之本爲形體之基故曰天無此火不能生物人無此火不能有生夫心主虛靈腎主閉藏胃主受納脾主運化肺主治節小腸之秘別三焦之施化大腸之傳送膀（胱施化三焦升降無一不稟命於此火也）有之則生無之則死至於男子藏精女子繫胞亦從（此門戶也）

火之有餘緣於水之不足水之不足因見火之有餘

經曰陰平陽秘精神乃治病安從来此陰陽之道要均平不宜偏勝也人身中水火譬猶天衡此重則彼輕此輕則彼重至於治療之法彼重則補此（此重則補彼切不可厘去那）子自可均平

火安其位則萬象泰然　此言無形之火命火也真陽也少火生氣也得其位則五體百骸咸仗化生之祖無不泰然譬猶鰲山燈飛者行者拜者舞者惟賴一火也

火旺行速火微行遲火絶則萬幾自息

有形之火水之所尅無形之火水之所生

有形之火即後天心火也爲腎水所尅此寔火也凡有所發當從正治以寒治熱無形之火即先天真火也爲腎水所生此虚火也凡有所起惟宜從治以温除熱

火者即氣氣不得其平而爲之病也

氣即火火即氣同物而異名也運動百骸温養肌肉氣之功也火隨之而潛行晝夜周流不息元氣一有拂鬱

則火起而爲暴熱猶傷寒外爲寒邪所束正氣內鬱而爲熱也

火動則熱火鬱則寒寒極則熱熱極則寒

火性炎上要斂藏之宜溫養之則爲生生之氣若有所激得遂其升騰之勢必有焚燎之虞若爲物所抑則氣鬱而寒凡火鬱則煙起煙聚則水生此亦鬱而寒之理也又有水極反兼火化此寒極生熱也火極反兼水化此熱極生寒也然其要本非寒能生熱熱能生寒此五行克害承制之義爲母復讐之所致也治者當求其所因

不可以寒熱為目前之見也

君火衰則相火亦敗此有形虧及無形也相火熾則君火亦炎此無形病及有形也　君火以明相火以位君火有形為後天化育之機相火無形為先天發生之祖若君失其明則相失其位此有形累及無形也若相火不得位則少火變為壯火此無形激出有形也

陽火易救陰水難求蓋一星之火能燒萬頃之山一勺之水難救車薪之火　此補陽之功甚速救陰之力緩

成盡觀病於脱陽之際四肢逆冷參附一投回元氣於無何有之鄉須臾温煖陰虚癆極之症陰熱蒸蒸地茱大劑救真陰於焦枯之際難見清凉故曰無形之陽氣易生有形之陰血難長

有形之火不可縱無形之火不可殘

凡後天心火肝火三焦五臟之火六志之火皆爲有形之火也盛則瀉之不可縱其焚原之勢至於先天命火即少火也真陽也真火也龍火也皆爲無形之火也爲

立命之根神明之用不得其位宜補而斂之則丹田克固為有生之至寶奚可害焉

陽火利於正治陰火利於從治　陽火乃後天有形之寔火陰火乃先天無形之虛火也正治者以寒治熱如苓連知栢是也從治者以熱治熱如參芪甘溫能除大熱桂附引火歸源是也

天地之水以海為宗人身之水以腎為源

天地間萬派千流終歸大海人身中百脉五液總統乎

腎水書曰地之西始于寅終于丑水之東根于辛納于乙又曰丙潛壬内却從高順至乙穴還上注婦隨夫倡幾曾停萬派千流無暫住此可見人身之血猶天地之水也

水一火二陽有餘陰不足自少至老所生疾病靡不由於真陰不足

曰秉全體月有盈虧人身中腎爲一水火則君相爲二焉易曰陽一而寔陰二而虛此陽道寔而陰道虛也况嗜欲者多節欲者少故人生自幼至老補陰之功不可一日缺王節齋曰水虛成病者十之八九

火虛成病者十之一二深得其旨矣朱丹溪又謂一水不能勝五火使人肆用寒涼戕生不淺蓋陰字指陰精而言也不是泛言陰血以四物加知栢爲補陰則誤矣以余膚見陰虛之症有二陰中之水虛者病在精血陰中之火虛者病在神氣水虛者固多火虛者亦不少况陰陽互根水火交用補陰須以固陽爲主蓋無陽則陰無以生且陰藥非胃家之所喜補血每以胃藥收功此陽生陰長之至理也

五臟者各有相火而其系上屬于心

五臟之火為有形之火凡火者又謂為民火皆受氣于三焦脾胃肝胆兩腎各有一系並繫于心胞之旁以通于心火衰則病火盛亦病

火之藏納不外乎水土之中故發熱者即我身内之火因正氣虚不能接納邪氣乘虛而激出之乃陰陽本氣反常之變寔非外来之火也

先天之火在少陰腎水曰命火曰少火曰相火後天之

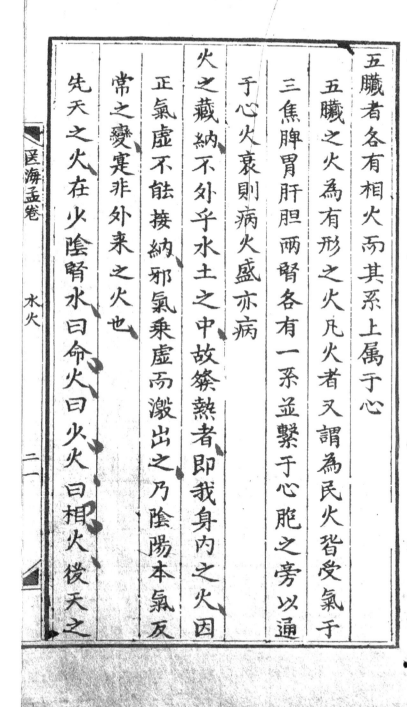

火在太陽脾土曰元陽曰胃氣此水土寔為火之窟宅也倘有外因内起之邪乗正氣虚而激發之非邪之能為熱也若欲援之納之非補土以藏陽即滋陰而降火火安其位則萬象泰然寔非外来之火發熱也火為生身之至寶豈可妄行攻逐哉

氣生於火而火為氣之祖也試思人與物不熱則無氣矣人惡火之為熱而清之伐之火去而氣亦絶矣少火生氣故曰火即氣凡捍衛冲和謂之氣妄動變常

謂之火原非別物也此不得其平而爲病耳故治火之法惟斂納之使安其位盖火爲立命之根基爲生身之至寶毫不可去魚一刻無水即死人一刻無火即亡氣可滅乎而况即火也

少年人惟恐有火老年人惟恐無火

少年人陽氣上盛好趨好走老年人陽氣下衰要坐要卧故少病常抑火之有餘老病當培火之不足

水爲至陰故其本在腎水化於氣故其標在肺

腎主五液人身之水以腎為源水非氣不化肺主治節通調水道下輸膀胱故本於腎而標於肺也

大哉真水真火為人生之本而為絕處逢生者也

真水真火在腎中為先天無形之水火為神明之用性命之根脉經曰病至危篤六部全無而冲陽太谿猶存尚有生意此絕處逢生之故也然冲陽不吉即太谿冲陽即胃脉也太谿即腎脉也

虛火因其無水只當補水以配火則陰陽得平而病自愈若欲去火以復水則既虧之水未必可復而并火去之

豈不陰陽兩敗乎

陰為陽守水為火制陰陽之道宜平不宜偏凡火虛則雖似為有餘然火之有餘緣於水之不足也治者當補陰以配陽壯水以制火切不可去火水既虧而又伐火則水火兩敗矣蓋治虛之法當培其不足不可伐其有餘

寒之不寒責其無水熱之不熱責其無火

此朱丹溪法言也亦猶內經曰諸寒之而熱者取之陰諸熱之而寒者取之陽同一義也凡以寒藥治熱病而

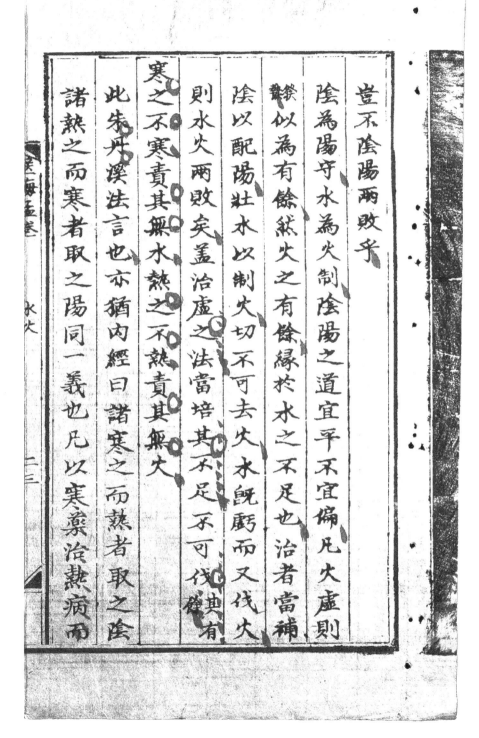

不寒者是水衰也以熱藥治寒病而不熱者此火虛也惟宜壯水以鎮陽光益火以消陰翳各求其屬以從治之法治之方能濟也

水火為陰陽之徵兆陰陽為水火之根原

陰陽虛名水火寔體輕清為氣血之原重濁為氣血之根同為氣血之用也

無源之水豈能獨旺無根之火豈能長明

陰水之源本於天上陽火之根本於地下故曰水中求火其明不息火中求水其源不竭陽為陰守無陽則陰無以生音猶殘燈復然也必無火脫陽症是也

氣血篇

訣三十五章

氣爲血之導引血爲氣之依歸

氣屬陽主動而行血屬陰主靜而附無形之氣其用宣通有形之血其體依守故氣行則血隨陰爲陽基也

血乃氣之標氣乃血之本

氣爲陽陽主表護衛百骸血爲陰陰主裏榮養臟肉故陽爲陰使而血爲氣標陰爲陽守而氣爲血本

氣不得血則散而無統血不得氣則凝而不流

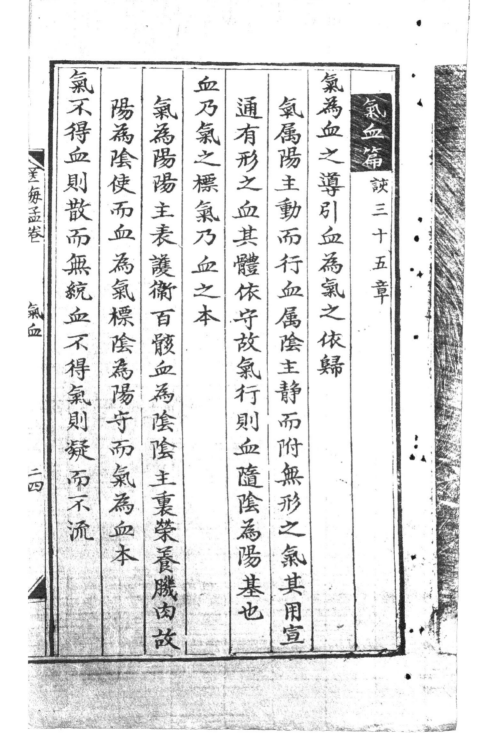

氣陽血陰陽動陰靜陰陽互根氣血交用陰爲陽之鎮守陽爲陰之役使衛行脉外榮行脉中故凡氣中無血則無統血中無氣則不行

脾胃者氣血之父　也心腎者氣血之母也肝肺者氣血之舍也　胃主納脾主運轉輸水穀精華爲氣血之化源猶父也心中真陰腎中真陽爲氣血之根本猶母也肝藏血肺主氣所藏所主猶舍也

人之氣血猶源泉也盛則流暢少則壅滯故氣盛則不滯

天地之百川猶人之百脉源泉溢則流通氣血充則宣達耶有壅滯之虞

榮血虛則不仁衛氣虛則不用　榮者血也血虛則不能榮潤肌肉故不知痛癢為不仁也衛者氣也氣虛則不能運用筋絡故不能作用為不用也

氣虛者則麻血虛者則木（皮頑曰麻筋硬曰木）　氣為衛衛行脉外氣虛不能運行而麻如人屈坐氣滯則麻及舒動氣行乃止血為榮榮行脉中血虛不能榮暢肌肉筋絡剛勁（故僵直如木）

血者水穀之精也源源而来冟生化於脾總統於心受藏於肝宣布於肺施泄於腎乃能灌溉於一身

食入于胃游溢精氣上輸于脾此水穀之精華化生氣血也心中含赤液乃是真陰心屬火血禀火化而赤色故總統於心飲入于胃散精于肝且血為水類水生木肝主筋血養筋乃受藏于肝氣為血帥氣行血從肺主氣主治節乃宣市於肺然能周流經落全仗先天一點真陽祖氣故施泄於腎弟考景岳云腎主五液而曰血不屬腎吾不信也故凡腎虛水衰不能生血而逆溢為痰又如血枯經閉之症則補水而血自生此則血本於腎明矣

血衰則形痿血敗則形壞故百骸裡有虧處便見偏廢充盈膚肉榮養百骸血之功也故曰肉以血成又曰血為形體之基血隨氣周流百脈灌漑經絡有不足處便抽掣拘攣為麻為木為不仁不用經曰目得血而能視手得血而能握足得血而能行此之謂也

清氣在下則生飧泄濁氣在上則生䐜脹

清氣為陽濁氣為陰陽本升陰本降陽屬火而熱陰屬水而寒陽虛則陰挾之而下陽失溫煖之能而為飧泄

陰虛則陽迫之而上陰凝昏翳之象而爲填脹此陽虛則下陷陰虛則上升故凡陽虛飧泄之症治之惟有升提最忌滲利陰虛填脹之症消之只宜血藥切禁辛涼然以血藥而治痞滿世所罕知此東垣之獨得

大腸得血則潤亡血則燥　血者水也水能制火而潤燥血者陰也陰虛則火起愈熱則陰愈傷血枯而愈燥况大腸經多血血損則傳道不能潤澤也此惟陰柔純静之品以補之最忌速利用硝黄以逐之

血中無氣則病為緩縱廢弛氣中無血則病為抽掣拘攣血主濡之氣主煦之血為榮榮養百脉氣為衛衛護百骸故血中無氣衛不能約束而緩縱氣中無血榮不能滋潤而拘攣書曰筋縱則責其無氣筋急則責其無血是也

肺出氣腎納氣故肺為氣之主腎為氣之本　肺在上主陽腎在下屬陰陽主出而呼陰主入而吸肺乃諸氣之源故肺為氣之主腎中少火生氣故腎為氣之本書曰肺為聲音之戶腎為聲音之根聲即氣同一轍也

氣寔者熱氣虛者寒寔能受寒虛能受熱

氣即火氣有餘便是火此為寔熱氣屬陽陽虛則陰乘之此為虛寒人多寒故受熱藥寔人多熱故受寒藥其治寔則以寒瀉之虛則以溫補之然真寒假熱者多真熱假寒者則僅見耳

氣虛則痛形虛則腫

氣屬火氣鬱則火炎灼而痛形屬血血壅則肉堆埠而腫書曰痛則傷氣腫則傷血

血有餘則怒不足則恐

肝主怒腎主恐血藏於肝而納於腎有餘則肝氣亢而怒不足則腎氣虧而恐經曰肝氣虛則恐肝氣寔則怒是也

氣有餘便是火氣不足便是寒　丹溪曰氣有餘便是火蓋火即氣氣即火乃少火也同物而異名也若不得其平少火變為壯火浮游三焦此見氣之有餘也景岳云氣不足便是寒蓋陽不足則陰乘之故曰陽虛則發寒又曰胃虛則寒起此不足為生寒也

人卧則血歸於肝　經曰陽出於陰則寤陽入于陰則寐又曰夜則衛行于榮陽藏于陰則血歸于肝凡人夜深不能寐則陰不藏陽血不歸肝肝之陰虛肝氣獨亢

疎泄用事乃見小便頻数此明兆也

氣多則血易升血少則火易熾

氣属火火性炎上氣行則血隨故氣多則血易升血属陰陰虛則陽乘之陽主火故血少則火易熾

血寔氣虛則體易肥氣寔血虛則體易瘦　氣属陽主骨髓血属陰主肌肉血勝氣則肥陽勝陰則瘦故肥人氣虛身凉瘦人血虛身熱肥人多夭瘦人多壽亦陽生陰殺之理也

氣虛不能斂納中宫之元陽血虛不能接納下焦之龍火

皆爲虛熱　夫火之藏納不外乎水土之中氣即胃氣也中宮元陽即爐中火也血即水類也下焦龍火即水中火也若氣虛不能斂納乃土虛不能藏陽血虛不能接納乃水虧不能制火皆爲假熱法當補土以藏陽參芪之屬經云甘温能除大熱是也治宜補陰以退火地菜之類書云壯水以鎮陽光是也

奪血者無汗奪汗者無血　汗者心之液血之異名此汗即血血即汗也同物而別重也故陰虛感冒之症發

汗不透者是血已先奪也吐衄妄行之症難圖清降者則發汗而血止也又見過汗後血虛而心跳驚悸與産後癰瘡後亡血而發痓之症由津液竭豈非汗與血之同類乎

氣脫者目不明　氣者陽也火也主神明之用天中記云天地之光惟日與火倘玉石之能夜光猶稟火氣也况人之目猶天之日若氣脫者則失明如天與日而不彰也

氣血不和則留結為癰　氣血猶源泉也溢則流通少則壅滯蓋血榮氣衛與真水真火日夜潛行周流不息

則百脉和暢何病之有若有壅滯則為癰為腫矣經云氣虛則痛血虛則腫余見外科憑身中經穴互立癰名類分方藥豈不為分治頭治脚之法哉要之百病不外乎陰陽氣血之中究癰腫乎大凡血足則紅腫為陽症易治氣虛則塌陷為陰症難愈虛則補之結則散之留則行之期以氣血和而後已何曾有上下左右之分徒使亂人之耳目哉

血脫者色白夭然而不潤　氣主形血主色故曰血者以華其色血脫者色白如枯骨夭然無紅潤此失其紅

而白是也然氣虛亦有色白當以何者爲深辨嗟哉讀
書要求理外之情夫氣爲無形也清血也爲有形也濁也
氣虛之白則恍白白中帶清浮筋徹骨望之而知其寒
冷血虛之白則枯白白中帶濁如錫如灰見之可想其
滲淡此余之淺畧學者合以情求
正氣與邪氣勢不兩立猶低昂然一勝則一負
經曰邪之所湊其正必虛又曰扶正則邪自除此重則
彼輕一勝則一負也

氣無水不化精無氣不行　肺屬氣主治節通調水道倘水道不通則肺氣上逆經曰乾嘔以利小便為主蓋使肺氣下降也此氣無水則不能化以精血對言則精陽而血陰精血與神氣對言精血為陰神氣為陽若精無氣則陰中無陽誰其鼓舞故不能行也

氣行血亦從陽虛陰亦走　氣為血帥氣猶將也血猶兵也將行則兵從氣行則血隨陽為陰衛陽外陰內外不衛則內亦走此陰陽之機宜相守不宜相離也故陽

亡則陰亦脫陰亡則陽亦敗

氣盛則身寒得之傷寒氣虛則身熱得之傷暑

寒邪外束則火鬱於中故見氣盛而身寒暑爲熱熱傷氣故見氣虛而身熱

吐則傷氣氣虛者悸下則亡血血虛者驚

觸然而自動曰悸無故而自動曰驚吐出上焦陽分吐因氣逆而傷氣肺主氣氣虛則肺不藏魄乃悸下出下焦陰分下則津液竭而亡血心統血血虛則心不藏神乃驚

血症者皆不飲水氣症者則飲水血症亦飲水

下焦屬陰分屬血上焦屬陽分屬氣凡病在上則渴病在下則不渴此言病之在上在下也若陰虛血病安得不渴蓋血即津液所化書曰渴病每生於血虛也

中氣不足則溲便為之變　變乃黃色也凡中氣虛則肺失治節水道不調而小水變黃不知者槩指小便黃為內熱而清之火衰則氣愈虛甚至癃閉猶然不悟五苓之用肉桂非益火以導肺氣乎

上氣不足腦爲之不滿頭爲之苦傾目爲之視深

氣屬陽頭爲諸陽之會目爲臟腑之精氣不足則陽無所主而苦傾腦不滿則真精不足而視深乃斜視也凡小兒天柱倒則爲陽虛也

陽氣和則利滿於心出於鼻故爲嚏

陽爲氣生陰爲氣殺肺主氣開竅於鼻嚏爲陽氣和利故中風以有嚏爲可治正此理也

氣血虛而變現諸症雖多總不外乎陰陽氣血虛寔中以

盡之矣夫氣血既虛而虛症蜂起難以名狀眛者寧無治頭治脚之譏經曰知其要者一言而終不知其要者流散無窮書曰治其一則百病消要在陰陽氣血中一而已矣

虛寔篇 訣十八章

邪之所湊其正必虛留而不去其病為寔

凡病皆虛召倘正氣充固則邪無隙可乘若見邪氣之有餘乃是正氣之不足不能速為袪除則熱極煩滿嘔逆癃閉似為寔症矣故經言虛乃正氣之虛寔乃邪氣之寔何眛者不究其来由臨症通稱寔病既曰寔則無病既曰病何寔之有故譬猶如此投手便可知

何謂虛寔邪氣盛則寔精氣奪則虛　此與上文相合

凡病之有虚寔者以邪寔氣虚而言也書曰凡有所傷
多患不足故有餘之疾病皆正氣之衰微
氣寔於内而為寒如嚴冬雖外寒而内熱氣虚於内而為
熱如盛夏雖外熱而内寒故不可見熱而云熱見寒即云
寒務察其寒熱之本耳　冬至一陽生天上氷雪而
井泉温煖夏至一陰生天上炎熇而林木流津故病猶
如此氣寔之人外雖假寒而内真熱猶嚴冬陰中藏陽
也氣虚之人外雖假熱而内真寒猶盛夏陽中伏陰也

故不可見外之假寒而以熱濟熱見外之假熱而以寒
益寒須探本求源為治也
至寔有羸狀誤補益疾大虛有盛候反瀉含寃
如積聚在中甚則四肢倦不能動又如食過飽反見倦
怠若誤以為虛而補之則益疾矣故曰陽症似乎陰溫
之轉傷如脾胃虛損甚則脹滿食不得入氣鬱便閉又
如過饑反不思食若誤以為寔而瀉之則含寃矣故曰
陰症似乎陽清之必斃医司人命當細心想来益疾與

舍寃四字毛髮聳然余臨症惟以不足之法治有餘不以有餘之法治不足寧失於温補不寧失於寒涼葢疾猶能救療舍寃斷不復續

脾虛則瀉胃虛則吐　脾主運化胃主納受轉輸廢則不能秘別水穀而瀉儲積弱則扞拒水穀而吐此特言其槩也亦有熱欝而瀉有水停而瀉有腎虛不主閉藏而瀉有命火虛不能蒸腐而瀉有胃口虛而吐有翻胃而吐又有火食不能入而吐又有無火食入而吐學者

條分縷析方能悉偏幻之弊

胃虛則惡寒脾虛則發熱　胃者衛也氣也陽也陽虛則陰乘之而惡寒脾者榮也血也陰也陰虛則陽乘之而發熱

下虛則厥上虛則眩　上為陽下為陰陽虛則陰借于陽位陽為陰撓而昏眩陰虛則陽濁亂陰宮陰為陽奪而厥逆

寔則譫語虛則鄭聲　譫語鄭聲皆從熱撓然有虛寔之分心火為寔熱腎火為虛熱譫語則雄壯而長且雜亂無端鄭聲則依微而短其音韻則不能接續鄭声不出喉嚨

胃病多寔脾病多虛

胃病多由過於停積宜消之導之以宣揚其壅滯脾病多起於不能輸轉宜培之補之以助其運行況胃屬陽而主氣脾屬陰而主血陽病易寔陰病易虛

頭疼之症上寔症也頭眩之症上虛症也

頭痛症多由於風寒外襲鬱火上沖頭眩症本於元陽無主陰火泛騰痛則表之清之眩則扶陽抑陰此寔虛之有別也今人之虛者多寔者少故真寒假熱之病極多而真熱假寒之病僅見耳

蓋淳澆之變世道愈降天氣愈衰人

在氣交之中稟之亦薄試觀上古立方重用麸剤如麻黄承氣等湯中古易以參蘇湯人參敗毒飲至東垣立補中益氣湯人參養榮湯咸獲其效如此一想氣化之厚薄迥殊稟受之彊弱有異故人病得之虚者多得之寔者少

虚症兩顴紅乃陰虚于下逼陽于上　左顴属肝右顴属肺主後天陽氣陰虚於下不能吸陽陰道虧乏其色現於面部仲景曰面赤戴陽者是也

諸病得食稍安者必是虚症　諸病以胃氣爲本五臟六腑皆受灌輸病則十二經皆病故凡病得食而稍安則内虚可知也　非外來諸病

外入之病多有餘内出之病多不足　外來之病風寒暑濕燥火也乘正氣之虚留而不去乃爲實多見有餘内起之病七情勞倦飲食也因精血衰損得以乘之愈虚而甚多見不足

飲食傷爲有餘勞倦傷爲不足　凡闘食殭食與誤食

生冷而停滯者方爲有餘微則消道甚則攻下倘胃虛
不能受脾虛不能運此內因外因之逈別爲有餘中之
不足也凡持重遠行與暑雨工役而感傷者漸爲不足
輕則汗散重則清觧倘心傷於七情腎耗於精血此勞
力勞心之不同爲不足中之不足也
有餘爲陽症客病不足爲陰症主病
暴病者爲陽久病者爲陰表病者爲陽裏病者爲陰寔
病者爲客虛病者爲主標病者爲客本病者爲主

壯人無積虛則有之　元氣寔則陰平陽秘榮衛和暢風邪不能外侵脾胃運納內守朝食暮化那有停積之虞此壯人本無積也惟脾胃不能轉輸而痰食與死血得以凝結而成積也豈非因於虛而致乎若治者不求其源而徒事克伐猶入井而反下石也

腫爲寔由乎血浮爲虛由乎氣　浮腫之症率多混稱其中自有分別腫則膿內如泥按之不起浮則如囊裹水隨按隨起　然寔者邪水之寔也虛者元氣之虛也故治邪要須扶正扶正即是逐邪

臟腑篇 訣五十二章

○肺主皮毛心主血脉肝主筋膜脾主肌肉腎主骨髓

肺屬金主氣為外衛故主皮毛心屬離中虛即真陰為血之根故主血脉肝屬木應曲直為發生之萌芽故主筋膜脾屬土土生萬物應坤柔之德故主肌肉腎屬坎為陰為沉重而藏精故主骨髓

○心為噫肝為語肺為咳腎為嘘脾為吞是為五病

心屬火火即氣氣欝則噫之以引其氣肝主風又屬相

火風火好動而語肺主氣開竅於喉嚨為清道少有拂阻則不容而咳腎居至陰為納氣之源氣不能歸則為吹為噓乃見氣從臍下逆上脾開竅於口胃開竅於咽故為吞凡中有所苦外必形之

○心惡熱肺惡寒肝惡風脾惡湿腎惡燥是謂五惡熱則神昏故心藏神而惡熱氣虛則寒故肺主氣而惡寒風能燥血肝藏血而惡風土虛則卑湿故脾屬土而惡湿腎主五液故喜潤而惡燥此五臟病之所惡也

○腎水衰則肝失所養而血燥生腎水虛則水不能歸源而脾痰起腎水虧則心腎不交而神色敗腎水虧則盜傷肺氣而咳嗽頻腎水虧則孤陽無主而虛火熾

腎水衰不能養木而肝血燥此乙癸同源之義水為血母腎水衰不能生血水泛為痰且水能害土而脾痰起心藏神腎藏精心中陰不能下降腎中陽不能上升故神色衰敗金為水母子衰則盜傷母氣肺主氣而咳嗽生腎水衰火無所制陰虛陽無所依龍雷浮越而虛火

熾此可見腎為先天之祖氣立命之根基化生之本始神明之妙用經云過症之虛亟保北方以培生命凡虛劳之症使非傷及根本何以危篤至此盖人之求生不外乎水火之中奈好事者專門有五勞六極之分名甚至有七十二重之別症鑿空撰出徒使學者多岐亡羊無益於事也

○胃強則腎充而精氣旺胃敗則精敗傷而陽事衰胃為水穀之海游溢精氣轉輸于脾傳送諸臟故曰五臟盛乃能寫而輸歸于腎故曰腎為藏精之都會倘胃病則

化源衰何以為精海之波濤且陽明統宗筋之會陽事安得不衰書曰無水穀無以成形體之壯又曰精血之海又必賴後天為之資

○腎之陰虛則精不藏肝之陽強則氣不固

腎主閉藏肝主疎泄飫閉藏者賴陰之靜也好疎泄者為陽之動也盖腎屬水應冬職司封蟄閉藏肝屬木應春用在發生調達此陰陽開闔之妙也

○胃不和則臥不安 脾胃主四肢脾生血肝藏血脾

虛則不能生血肝虛不能藏血而肝氣燥反来凌虐中州故卧不安

脾為五臓之根本腎為五臓之化源　脾胃為水穀之

海日生精華五臓皆禀受焉腎為精血之海五液所主五

臓皆輸納焉蓋脾為後天之化源腎為先天之祖氣譬

猶樹木之有根荄無培植則不能壯立無滋潤則不能敷

榮如此一想根本化源四字皆為有生之繫重毋得有

偏書云補脾不若補腎又云補腎不若補脾未為兼得

蓋無精血無以立形體之基非水穀無以成形體之壯

余有論有辰補脾不若補腎有辰補腎不若補脾在導流卷甚詳

○腎之政令總在乎命門葢命門爲北宸之樞司陰陽之柄命門爲立命之門爲一身之太極在兩腎之中凡腎之技巧作彊變化三焦一切政事皆聽命於命門命門左旁爲真水右旁爲真火所以司陰陽之柄爲三焦之主十二脉之源五臟六腑之根譬猶北宸居所衆星拱之

○心腎不交精神散越則爲厥逆　心藏神腎藏精心屬離離中真陰下降腎屬坎坎中真陽上升則水火交

為既濟若火在上水在下不交為未濟則精神離散陽中無陰陰中無陽而成厥逆

○命門為精血之海脾胃為水穀之海　命門在兩腎之中凡五臟之精華皆輸歸于腎書曰五臟盛乃能瀉又曰腎為藏精都會故曰腎為精血之海飲食入胃脾運化而轉輸五臟皆禀受之故曰胃為水穀之海

○腎者胃之關為一身鞏固之關　腎主閉藏經曰北方黑色入通于腎開竅于二陰凡胃受水穀傳于小腸

小腸之秘別水入膀胱穀入大腸而出于二陰此水穀之通秘全賴下焦相失故曰腎爲胃之關識一身鞏固之關門也

○心下跳動怔忡不寧者氣不歸精也　肺主氣腎藏精肺出氣腎納氣心統血而藏神血生精精生氣氣生神若氣不藏於腎則精血神氣皆病乃見心下怔忡不寧

○腎主水受五藏六腑之精而藏之　五藏六腑皆有精華滿則輸歸于腎書曰盛而不滿故五藏盛乃能瀉也

○胃者水穀之海六腑之大源　凡飲食皆入于胃

故胃為水穀之海六腑皆稟受之以灌輸傳道故　胃為六腑之大源

○腎虛不能化食譬猶釜中水穀下無火力其何能熟乎

胃受水穀居中焦譬猶釜也全賴下焦相火以為釜底薰蒸書曰足太陰濕土虛當補足少陰相火以生之凡症見思食而不能食能食而不能化者此命門火衰也

○腎司閉藏肝主疎泄　腎主封蟄其令為冬一陽伏而閉藏肝應風木其令為春三陽生而疎泄

○胃寒盛則癥生熱盛則恐生　胃中無火何能受

納則格拒而噦起胃中有火反傷腎氣火盛則土旺而剋水腎主恐而恐生　○肺邪氣盛則邪氣促而不得偃卧肺葉下垂、邪火感促則隨火炎上而葉上舉、上舉則氣滿促於膻中、仰卧則氣布息而不能偃卧、

○脾者一身之祖百脉之源病則十二經皆病脾胃為水穀之海後天之化源五臟六腑皆受灌輸四體百骸咸資榮養誠為身中之造化也

○胃者衛之源脾者榮之本　胃主後天陽氣脾主

後天陰血故水穀之清氣為榮水穀之捍氣為衛故衛屬陽主氣榮屬陰主血○脾喜燥而惡濕胃本濕而惡燥脾屬太陰己陰土而喜燥胃屬陽明戊陽土而惡燥若徒知辛香健脾反致胃口乾枯而成關格矣○胃為六腑之總司心乃神明之主宰　胃為後天之陽氣六腑皆陽故為之總司且藏腑受氣于胃心為君主之官而藏神主虚靈之用故為神明之主宰○肝火之有餘乃腎陰之不足

乙癸同源而肝腎同治肝有雷火腎有真水水不能制火緣水之不足因見火之有餘

○心為声音之主肺為声音之戶腎為声音之根

心屬火火即氣氣乃成声且舌為心之苗声音之強弱心之力也豈非声音之主乎肺屬金金空則鳴且肺在上焦主出氣為氣之標豈非声音之戶乎腎主閉藏而在下焦主納氣為氣之祖豈非声音之根乎

○肺主氣氣逆為咳腎主水水泛為痰　凡咳之不離乎肺以肺主氣也氣順則為治節氣逆則為咳喘腎主水水衰則不能生血而反生痰且腎主五液為痰本也

○心本熱虛則寒腎本寒虛則熱　心屬火火虛則水乘之而爲寒腎屬水水虛則火炎之　而爲熱此陰陽相乘水火勝復之常理也

○胃充則衛寔　胃爲後天陽氣爲水穀之海爲衛氣之源經曰得穀者昌穀氣盛則衛氣充而陽氣寔衛氣即陽氣也

○心知将来腎藏已往健忘之症無非心腎不交心藏神主虛靈之用故能逆覩将来之機然心之能神亦由陰精上奉腎藏志爲作強之官故能記藏已往之事然腎之能強　皆由陰精下交凡起居如故健而善志者豈非水火未濟而知藏自病乎

○肺為諸氣之司胃為化源之所　肺主一身之氣先天祖氣後天生氣胃氣衛氣營氣宗氣是其總司胃為水穀之海五臟六腑皆受灌輸生血生精生氣生神為之化源也

○腎為藏精之都會聽命於天君　腎為精血之海此五臟寔乃能瀉而輸歸于腎盖腎之所藏會五臟之精而藏之非獨腎也心為君火腎為相火君火無為相火聽命於心君而行令

○胃喜涼飲而惡熱腸喜熱飲而惡寒　胃本濕而惡燥故喜涼腸主秘別水穀熱則氣化而滲出故惡寒

○胃乃元陽之子　五行之理土從火寄生元陽者手少陰即後天君火足陽明胃土乃其子也若足太陰脾土又屬先天足少陰相火所生故胃土虛則補心火脾土虛則補腎火此中自有分岐豈宜混用

○心熱口苦肝熱口酸脾熱口甘肺熱口辛腎熱口鹹胃熱口淡　此五味屬五行應五藏五藏禀氣於胃胃開竅於口病則兆焉惟淡者乃為土之性五味之未傳也

脾為化元之機榮之本血之統也　脾為後天陰氣

賴水穀之氣而生血血之源本於脾也血生精精生氣氣生神神誠為化元之機也榮屬血故為榮之本也

○心肺損而神衰肝腎虚而形敝脾胃損而飲食不為氣血　心藏神肺主氣氣生神損則神衰也肝主筋腎主骨肝藏血腎藏精虚則形敝也飲入于胃游溢于脾歸于肺肺主氣食入于胃散精于肝肝藏血損則不為氣血

○胃氣熱則消穀而善飢胃氣上逆則為胃脘寒故不嗜食　胃本濕而惡燥若胃伏火邪過於燥熱則消

穀而善飢書名邪火殺穀又名消中胃主受納水穀若胃伏寒邪過於濕寒則氣逆而不喜食書曰胃熱而嘔者少胃寒而嘔者多

○胃氣逆則嘔苦　經云胃熱則口淡然胃氣寒則不能受納上逆為嘔寒則味苦故嘔苦

○胆病善太息　太息乃積氣伸之也故憂愁則氣鬱鬱而多太息凡鬱則傷肝肝胆相通肝病胆亦病胆為清虛之府本不受邪

○土為萬物之源胃為養生之主　易曰至哉坤元化生萬物此萬物之生成皆本於土也胃受水穀化生精

華五藏六府皆受灌輸充潤肌肉滋養百骸此有生之至宝也

○北方黑氣在藏為腎開竅於耳南方赤色入通于心開竅於耳　腎屬坎坎應北方卦位心屬離離應南方卦位心腎皆開竅於耳獨瞳子屬腎而心寔主之凡聽之能通視之能明豈非心乃神明之主虛靈之用乎

○心傷則神去而死矣　精氣神乃心之三寶心藏神心為一身君主經曰主不明則十二官危故所居外有胞絡為城郭邪不能犯凡言心痛者乃心胞也若真

心痛旦發夕死盖心傷則神明無主而精氣奪矣

○心爲君火腎爲相火心有所動腎必應之 經曰君火以明相火以位君火無爲相火代君行令心腎之氣相交書曰君火熾則相火亦炎此有形激及無形也

○肝所生病者遺溺癃閉 肝主筋至莖爲宗筋且肝主疎泄此氣亢也若血虚則爲癃閉故法以四物加山梔此深意也

○腎氣虚者脾氣必弱脾氣弱者腎氣必虚盖腎爲先天祖氣脾爲後天生氣而生氣必宗於祖氣也

書曰人之始生本乎精血之源人之既生由乎水穀之養腎為精血之海胃為水穀之海盖水穀之氣日生精華輸歸于腎以充精血腎中相火日夜潛行烝腐水穀而五味出焉故曰水穀之海本賴先天為之主精血之海又必賴後天為之資

○心以虚靈為事肺以輸降為功肝以疎泄為能脾以運行為用　按上文只説四藏而不及腎何也盖腎為立命之基化生之祖臟腑之根豈一技一能之可同日

語心雖主神明而非真陽上奉則虛靈何以爲虛靈肺雖主治節若非少火生氣則輸降何以爲輸降肝爲肝木倘非真水涵養則疎泄而氣亢脾本運行使非相火生土則乾健弛而卑湿

○心腎互爲其根陰陽互爲其用　心在上腎在下相去絶遠何能互根盖心屬離離中虛即真陰也而能下交腎屬坎坎中滿即真陽也而能上奉此陽中有陰陰中有陽水火互爲其根陰陽互爲其用也

○心劳則傷其血腎劳則損其精　心統血腎藏精心
劳於思慮則傷血腎劳於色慾則損精非特此也心知
將来腎藏已往如一家之主父主毋心主外務腎主内藏過於應事接物是皆致損傷也
○五行皆屬土萬物總歸脾　摇地取金擇地穌木鑿
池貯水灰炭成土此五行之不離乎土也四辰之宁土居四季人之五藏六腑資生資化無不稟受於脾矣
○太飢則倉廩空虛必傷胃氣太飽則運化不及必傷脾氣
胃爲倉廩之官脾主運化之職凡飢飽無度皆能致病
脾胃土四肢每見過飽過飢之辰則肢体横解而困倦

人之有脾胃猶兵家之有餉道餉道一絶則萬衆立散脾胃一敗則百藥難施　人以脾胃為本為後天生化之機有之則生無之則死故治病當先顧胃氣胃氣無傷諸無可慮凡病至亡陽之際惟以參术附方可挽回余有論補腎不若補脾正謂此也。

百病皆生於心皆根於腎　心為一身之主神明之體虛靈之用應事接物皆從心上起經綸故七情內傷心先受之然五藏之傷窮必及腎蓋腎為真陰真陽之所氣血之根有生之本誠為諸病之要領也

腰脇痛肝腎之虛骨節痛腎陰之虛損

腎主骨腰脇乃肝腎之外
○凡土無火不生故喜燥而悪湿
中州之土得燥則生過湿則病
孟卷終
太原処撫陳大人全本省助錯錢一百貫
太原顧按察使趙德望助洋銀五元
富平府知府黎如瑔助十五貫
帮辦富平府務阮檢助五貫
摂辦大慈縣務阮伯豊助十五貫

（此頁據中國國家圖書館藏本配補）

幫辦大慈縣務阮熷助三十貫

書吏阮筀助三貫　書吏刘速助三貫　書吏陳悅助三貫

八品阮廷悅助三貫　八品阮顯助十貫　九品陳瑾助六貫

玖品阮司助五貫　九品阮恭助五貫　通吏武忠助一貫

富平吏目阮廉助三貫　通吏阮有成阮文挺各助一貫

大慈吏目吳文謂助六貫　通吏阮克煉楊樹阮文祀阮廷辭各一貫

太原司倉人等助二十貫　藩司通判武德謙助五貫

洞喜衙助梓木七段　平川縣衙助十貫

（此頁據中國國家圖書館藏本配補）

R.1121

新鐫海上医宗心領全帙卷卌四

医海求源仲卷　海上懶翁黎氏纂輯

病機篇　訣一百四十章　後學唐鄗武春軒奉較

○人之始生本乎精血之源人之既生本乎水穀之養非精血無以立形體之基非水穀無以成形體之壯腎中命門為一身太極男子藏精女子繫胞此腎為精血之海人之有生稟父精母血以成故精血為形體之基立命之本及其既生也惟賴後天水穀之氣乳哺滋

養故水穀成形體之壯爲生化之源

○水穀之海必賴先天爲之主精血之海又賴後天爲之資脾胃爲水穀之海惟賴腎中真陽真火以烝腐之故曰欲補太陰脾土者補少陽相火也腎爲精血之海惟賴水穀之氣日生精血以轉輸之故曰胃強則腎充而精氣旺

○傷風多作吐瀉蓋風木好侵脾土故也　經曰風先入肝凡傷風則肝先得之風動木強木尅脾土脾虛不運而瀉胃虛不納而吐

○病後失音者腎怯也　腎爲精血之海爲聲音之根

病後精血虧損根本受傷而声音斷絶矣

○中滿者脾氣虛損也痰盛者脾氣不運也指麻者脾氣不週也　脾以化食爲能中滿者此脾不能運也不運則津液凝結而爲痰四肢屬脾脾陽主氣脾陰主血氣血不能週流四肢而指麻也枳麯查芽愼用宜用補中湯加半夏茯苓神效

○侵晨吐痰乃脾虛不能運化　子後一陽生百脈會朝于肺脾虛不能攝涎溢入于肺而侵晨吐痰書曰脾爲生痰之源肺爲貯痰之器是也

○食不得入是有火也食入反出是無火也

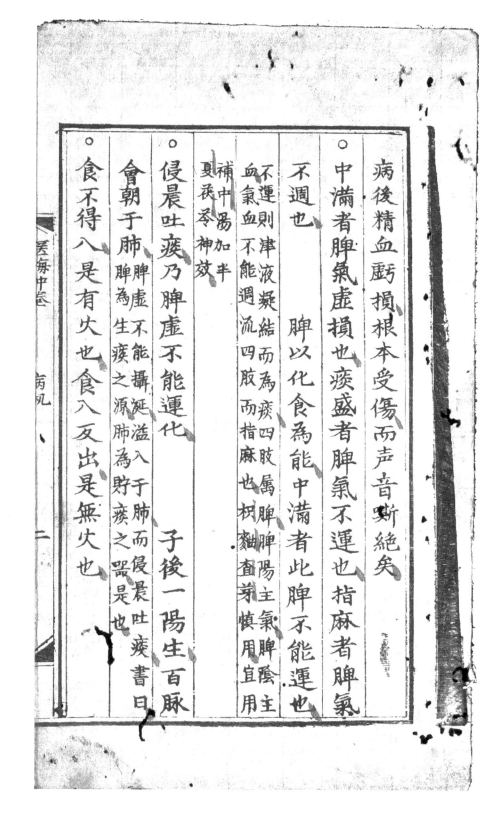

不得入者乃纔下咽而即吐者也此胃中有火隔拒經曰諸嘔逆上冲皆屬于火是也食入反出者乃既入不久留而反出此命門火衰也下無（蒸腐之力脾不能運胃不能納而然也）

○五心煩熱乃心火陷于脾土之中　五心乃坎心（指心窩也）兩掌心兩足心是也脾主四（肢心主熱土中伏火乃見五心煩熱宜四物加二連）

○暴病卒死皆屬火（東垣）責之氣虛　内經責於火東垣責於氣蓋火即氣同物而異名也凡人暴病卒死殆非一朝一夕之故也蓋閭者斷丧已多真陰虧竭孤陽獨旺

無根之火豈能長明乃至元氣忽去而死

○類中風之症東垣主氣虛河間主火丹溪主痰此先哲立言雖異而其本寔同也蓋氣虛則無根之火發逆上之痰生一以攣其本一以導其末也

○善飢多食乃風木太過凌虐中州脾土受虛求助於食善飢者火之餂也蓋木盛則生風風能扇火多食者乃脾虛求助也有曰善食而瘦亦此理也

○風為百病之長寒為殺厲之氣　風為陽邪善行數變

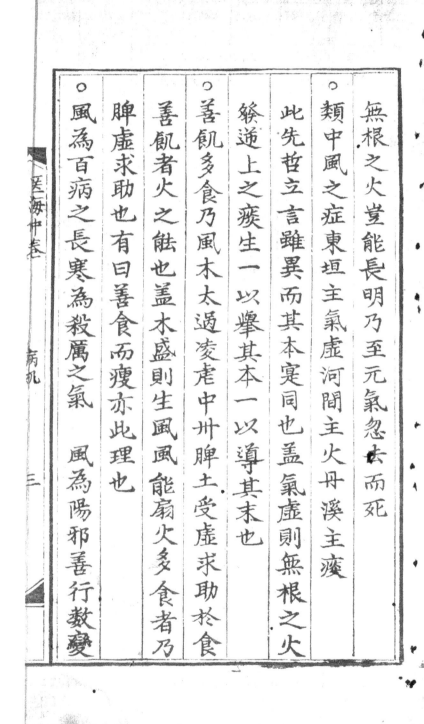

無微不達誠爲百病之發端也寒爲陰邪行秋冬肅殺閉藏之令寔爲殺厲之氣也雖然風寒本爲同氣寒輕爲風風重爲寒景岳此言開千古之未悟

○寒邪在表必身熱無汗以邪閉皮毛故也

夫既云寒邪在表而反爲身熱蓋熱即身内之火外爲寒邪所束鬱而不得發一步反歸一步久則純熱矣

○傷食惡食傷風惡風傷寒惡寒蓋傷於此必惡於此

傷食病在脾胃不能受納轉輸而惡食自是有理風寒

本為凉氣豈有傷風不惡寒傷寒不惡風之理哉然先哲格言亦非虛語合以情求非筆紙之曲盡

○小便清病不在裏小便利病不在氣　邪猶在表則表病而裡自和故小便清肺主氣通調水道下輸膀胱氣不病故小便利

○風即寒之帥風送寒来寒隨風入透骨侵肌本為同氣故寒之淺者即為傷風風之深者即為傷寒

此景岳先生發千古之未發方書以脉浮數為傷風浮緊為傷寒傷風症自汗傷寒症無汗立局分方支離治法徒使亂人耳目何益於所事哉

○表無寒邪無以成瘧裏無寒邪無以成痢　瘧痢雖為二症其寔一源外之寒邪不去則為瘧内之寒邪久留則為痢此瘧痢之本於脾也書云無痰不成瘧無積不成痢此脾虛之所致也經曰脾虛發熱胃虛發寒凡治瘧痢而不顧脾胃非其治也雖有寒邪亦不過為發病之端耳

○自汗屬陽虛盜汗屬陰虛然未必也但察其有火無火盖火盛而汗出者以火爍陰陰虛可知也無火而汗出者以表氣不固陽虛可知也　寤則氣行於陽寐則氣

行於陰陽在外則爲衛陽虛則不能衛而自汗陰在内爲榮陰虛不能榮而盜汗此古法也若憑於有火無火以分陰陽誠千古未發之要論也有曰盜汗不止者有火則陰不能守無火則陽不能固亦此理也

○先嘔却渴者此爲　欲解先渴却嘔者爲水停心下嘔家本渴今反不渴乃心下有停飲故也　至哉此論甚有深旨蓋嘔則津液竭而渴渴則水停而嘔若嘔而不渴則心下之水停可知也

○虛寒之瀉本非水之有餘寔因火不足小水不通本非水之不利

寔因氣之不行　凡因寒而瀉者由命門火衰不能上蒸脾土土本喜燥而惡濕故土虛者乃火虛也虛則不能運化水穀併歸大腸而瀉此火之不足非水之有餘也水非氣不行肺主氣主治節通調水道下輸膀胱若肺氣不能下降則水道癃閉此水母之失職非金子之停留五苓湯之用桂其意專重此氣也非獨滲利而能功成

○胃本屬土非火不生非煖不化是土寒者即土虛也土虛者即火虛也故脾喜煖而惡寒土惡濕而喜燥故因

火而嘔者少因寒而嘔者多胃寒而嘔者少胃虛而嘔者多

經曰諸嘔逆上冲皆屬於火然火有虛火有寔火寔為熱虛為寒故曰食不得入是有火也食入反出是無火也

○虛而多渴者腎水不足引水自救也　凡熱盛則津液消耗無不渴也但形虛脈虛雖渴而不能飲或能飲終亦不多此乾也非渴也蓋熱則傷陰真陰虧損玄水乾枯求外水以自救也

○虛而喘急陰虛肺格氣無所歸也

肺主出氣腎主納氣肺為氣之主腎為氣之根虛而喘

者乃腎之陰虛不能納氣使氣無歸根之力故逆奔而上也

○喉乾咽痛者真水下虧虛火上浮也　真水虧則相火炎浮越上於喉門譬猶厨頭煙窻火焰則煙飛故喉乾咽痛也

○不眠恍惚者血不養心神不能藏也

凡人卧則血歸於肝衛入于陰則寐又神安則睡穩心藏神心統血血虛不能養心神無所依故浮越而恍惚

○辰多煩燥者陽中無陰也柔不能制剛也　煩屬陽燥屬陰陰陽互用陽中不可無陰陰中不可無陽剛柔相

濟也若煩燥辰作辰止此陽中無陰也蓋陽主動陰主靜

○易生嗔怒或筋急痠痛者水虧木燥肝失所資也

肝主怒筋屬肝肝藏血血養筋腎水所生若水虧則肝失所資乃有此症經曰血實則喜血虛則怒亦此理也

○飲食不耳肌肉漸削者脾源失守化機日敗也

脾主五味脾主肌肉飲食入胃脾主運化生血生精而百骸充裕為後天生化之源土德或慚則形勢瘦弱化機日敗矣故凡病見肌肉暴脫者皆為不治此胃敗也

○腎虛而多痰或如清水或多白沫此水泛為痰脾虛不能制水也

凡腎水衰不能生血水泛為痰其痰則清稀多白沫然亦由脾土虛不能制水故曰痰之化在脾痰之本在腎

○骨痛如折者真陰敗竭也　腎主骨書曰人身之骨何處不屬於腎腎中真陰為精髓之源虛則髓竭骨枯而痛

○膝以下冷者命門衰絶火不歸源也

命門主下部足為至陰之分命門火虛則火不歸源陰中無陽而膝下冷故凡病冷過膝者此亡陽之機也

○小水黄澁淋瀝者真陰虧竭氣不化水也

水無氣不行氣無水不化氣即火真陰衰竭陽無所附此氣無水也故不能化也

○足心如烙者火虛爍陰湧泉涸竭也　足爲至陰足心湧泉穴此暗水潛行之路陰虛則火乘之以爍陰水竭故足心如烙

○痰之化無不在脾痰之本無不在腎凡是痰症非此則彼

胃受水穀脾化五味清者爲精血濁者爲痰涎故曰痰借液於五味此痰之化在於脾也腎屬水爲五液之主故曰腎水虛而水泛爲痰此痰之本在於腎也

○脾家之痰有虚有寔濕滞太過　脾之寔也土衰不能制水脾之虚也　夫治痰之法寔則攻之虚則補之然攻之則有序補之從其化源方為得法蓋火寔宜消之逐之水虚則行氣降火火虚則補火以生土使健運如常而痰自化余按方書云痰無補法群議非之盡不觀神農三千七百品絶無一蘇助痰之需況於補乎倘欲補之寔無其藥然痰病多得於虚虚而不補何待余有論痰無補法亦無攻法在導流卷甚詳宜參看之

○痰乃津液之變如天之霧露也

人之有生惟賴水穀之氣生此津液結則病竭則死痰乃津液之變亦為養生之一物耳天可無霧露乎人可無痰涎乎書曰虛人不可盡去其痰正此鄭重意耳

○腎家之痰本皆虛耳蓋火不能生土者即火不制水陽不勝陰必水反侵脾是陰中之火虛也若火盛爍陰則精不守舍津液枯竭則金水相殘是皆陰中之水虛也此脾腎之虛寔不同者所當辨也　腎為至陰左右有

真水真火二竅書曰腎虛有二即真陰之水虛也陰中之火虛也水虛者宜壯水之主以鎮陽光火虛者當益火之源以消陰翳此補水火之真藥調陰陽之絕法也

○痰本人身津液隨邪之所在而成病之名

痰乃津液之變此同類而異名也人之賴以有生者水穀之氣生此津液也因正氣虛無所主宰邪得乘虛而激出之非因痰而生病寔因病而生痰也

○痰凝則氣閉火盛則陰虧　痰凝則嗌道阻塞清氣不

能上升而氣閉熱盛則傷陰血血愈傷則火愈熾而陰野
○煩屬陽為有根之火多出於心燥屬陰為無根之火每起於腎　轉側不安悶悶然謂之煩揚手擲足起卧無辰則謂之燥煩為輕燥為重煩為寔熱燥為陰虛率皆精神耗竭之機甚為可畏
○火客於肺則煩火入於腎則燥煩為煩熱之輕燥為燥熱之重獨煩不燥者為寔熱獨燥不煩者為虛寒
凡症見煩燥者皆為惡候其中自有輕重寒熱之分總

之煩燥者皆從熱起若燥而身熱此内真寒而外假熱也當憑色脉以别之若燥而身凉此陰先亡而陽後絶也惟用參附挽回亦可復生

○心熱則煩腎熱則燥煩主氣燥主血肺主皮毛氣熱則煩腎主津液血熱則燥　心屬火火尅肺金肺主氣故氣熱而煩腎屬水水主津液而生血水衰則火炎而血枯故血熱而燥也

○天地無逆流之水由乎風也人身無倒上之痰由乎氣也痰亦水類水性潤下風乃陰陽噓吸之氣人之氣猶天地之風也故凡水之能逆流痰之能倒上必因風因氣之使然也

○暴病非陰久病非陽　陰主靜而緩陽主動而速蓋暴来之病卒非根蒂深沈纏綿之病悉是邪淫亢烈

○六腑氣絕於外者手足寒五臟氣絕於内者痢不止　腑屬陽臟屬陰陽主外陰主内腑絕則陽亡而手足寒臟絕則陰亡而痢不止

○新邪喚出舊邪標病打動本病　如冬傷於寒至春得風發為溫病夏得暑發為熱病卒由隔冬寒邪傳於肌膚得新邪而復發又如舊病漸除遇新病而舊病俱發

○跌仆損傷有一線血入心即死　心為一身主宰神明

出馬以虛靈為用所居外有城廓外邪不能干犯犯之即死心本統血諸血奉令而行若不行而反入于心此犯心也安得不危猶如真心痛症旦發夕死是也

○風勝則動熱勝則腫燥勝則乾寒勝則浮濕勝則濡泄風動則抽掣拘攣木好搖動之象也熱壅則洪腫掀赤火空則發之象也燥勝則乾枯焦涸金涵肅殺之象也寒多則腫滿虛浮水性泛溢之象也濕盛則瘍爛潰壞而為濡泄也

○凡諸損傷惟房勞尤甚為神與形交用精與氣均傷也

外勞內傷因病而虛損與稟薄人虧及根本者亦多有之書云五勞六極惟可畏者色慾伐臟蓋少年恃強不節而斲喪者十居八九冲放曰修身莫若寡欲誠保生之仙方也經曰藏於精者春不温病亦保生之道也

○有所勞倦形氣衰少穀氣不盛上焦不行下脘不通胃氣熱甚熱氣薰胸中故為內熱　此勞倦發熱之病机也經曰勞者温之又曰甘温能除大熱又曰補土以藏陽東垣補中湯誠萬世無窮之利也

○穀氣外衰肌肉盡脫天真內竭身不能行　凡病見肌肉暴脫者必至不起此脾胃生化之源絕也盖精血為肌肉之本肌肉為形體之壯其本既敗安望有生

○久視傷血久卧傷氣久坐傷肉久立傷骨久行傷筋是謂五勞　血以脉為府諸脉皆屬于目故久視傷血氣屬陽陽主動久卧則氣滯而傷氣脾主肌肉主徤運久坐則脾泥而傷肉骨壯則能立若久立則傷骨筋强則能步若久行則傷於筋

○喉主天氣咽主地氣故陽受風氣陰受濕氣

喉主肺肺屬乾而應天咽屬胃胃屬坤而應地風爲陽邪故陽先受之濕爲陰邪故陰先受之

○傷於風者上先受之傷於濕者下先受之　風爲陽邪上半身屬陽故上先受之濕爲陰邪下半身屬陰故下先受之

○汗出而熱不退者死　汗者猶天之雨也亢炎之極地氣上升雲騰而雨降雨降則凉生此陰濟陽也人之病熱亦猶是也汗既出而熱不退者乃陰氣先絶惟是孤陽爇燥然火性炎上力窮乃止則陽亡而死矣

○怒則氣上喜則氣緩悲則氣消恐則氣下寒則氣收熱則氣泄驚則氣亂勞則氣耗思則氣結故百病生於氣也

怒則肝火亢而氣上喜則心血和而氣緩悲則肺金燥而氣消恐則腎水耗而氣下寒則百脈拘急而氣收熱則百脈橫解而氣泄驚則神魂散而氣亂勞則精血損而氣耗思則津液竭而氣結

○充足空虛者氣血也化生氣血者水火也水火者人身之本神明之用　塡虛補損而能充足者氣血之良能也治宜八味兼水火也若氣血衰不能滋養則又當急求真火爲氣父真水

為血毋以為化生氣血之用真水火者陰陽之寔體也
有生之根本神明之妙用也
○精神耗散於内即我身之津液氣血無所主宰皆可内
起為火為痰而成邪豈必待外因所致哉　心藏神腎
藏精精神乃身中二寶盖火乃身中元氣痰乃津液之
變因正氣虛不能接納為病之因豈待外来故曰病由虛召
○表熱多由裏陽外越上熱多由下火上乗雖有外邪感
觸亦不過為發病之端　凡寒束于表則火欝于裏乃

見臟腑熱盖身中之火即元氣即元陽即命火火安其位則萬象泰然此乃静爲少火以生氣動爲壯火以蝕氣故有陰虚而火動有水衰而火炎有腎中陰寒而火浮于上皆爲上熱凡火虚則發雖有外邪乘虚而激出之亦爲病之標也

○虚而頭痛非虚火上浮即血虚作痛

頭爲諸陽之會凡因火因風因寒因濕因暑因食因痰而痛者皆爲寔邪之症至於病本虚而頭痛者惟有氣虚而陰干陽位血虚而陰火上浮也陰火虚火也

○陽邪之至害必歸陰五藏之傷窮必及腎　陽爲表陰爲裏陽爲淺陰爲深邪之来客也必自表入裏自淺入深輸應之機也腎爲五藏之化源十二經之根本病至損傷必及精血之根化生之本此自相傳送之理也

○調經論曰陽太過則先期而至陰不及則後期而来此専指女人經病而言也言太過言不及則陰陽寒熱虛寔盡在其中矣

○風爲陽中之凉氣暑爲熱中之寒邪　寒爲陰邪風爲

陽邪濕爲陰邪暑爲陽邪然風即寒之帥此陽中之陰也故曰凉氣夏月伏陰此陽中之陰也故曰寒邪

○瘧不離少陽猶咳之不離乎肺也　有新瘧有久瘧有痎瘧有單寒有單熱總不離少陽經半表半裏寒熱往來發作有辰有五臟之咳有六腑之咳有風寒之咳有虚勞之咳總不出于肺肺主出氣爲貯痰之器也

○暴瀉非陰久瀉非陽　凡暴病爲陽症火性急速也久病爲陰症水性泥緩也百病皆然非獨瀉也

○吐傷氣濕傷血氣虛發厥血虛發熱氣血俱虛則身熱而手足厥　吐出上焦而傷氣分濕出下焦而傷血分氣虛則陽脱而厥血虛則火乘而熱氣屬表血屬裡故其氣血俱虛則四肢厥而身中熱

○精脱者耳聾氣脱者目不明　腎開竅於耳腎藏精故其精脱則耳聾氣爲陽陽主火火象明無火則目不明

○捍衛冲和不息謂之氣擾乱妄動不常謂之火

氣即火火即氣靜爲少火以生氣動爲壯火而蝕氣蓋

不得其平而爲之病也火安其位則萬象泰然

○寒不去則痛滯火上行則嘔逆　寒能泣血血凝則脉結而痛滯火性炎上上冲則氣升而嘔逆經曰寒則傷形又曰諸嘔逆上冲皆屬于火是也

○痛則不通通則不痛　陰陽升降氣血周流何痛之有惟凝滯不能行則痛故治痛之法以辛香行氣導血爲首務

○陰虚有二陰中水虚病在精血陰中火虚病在神氣

腎居至陰腎中有真水真火水虚則壯火内熾陰分焦

枯而精血衰損火虛則火熱上浮陽分寒滯而氣奪神疲

○肥人盛於外而歉於內　肥人則血盛於氣陰盛於陽元氣不能主宰於中故外雖有餘而內寔不足

○神傷於思慮則肉脫意傷於憂愁則肢癈魂傷於悲哀則筋攣魄傷於喜樂則皮槁志傷於盛怒則腰脊難以俛仰

心藏神心統血血主肌肉思慮則傷心也脾藏意脾主四肢憂愁則傷脾也肝藏魂肝主筋脉悲哀則傷肝也肺藏魄肺主皮毛喜樂則傷肺也腎藏志腎主骨腰爲腎俞盛怒則傷腎也

○火與元氣勢不兩立故火之盛者即氣之衰元氣者水火之根氣血之母雖爲有生之本寔爲無形之虛凡有所傷多患不足故有餘之疾病皆正氣之衰微氣即火火即氣爲生身之至寶蓋安其位則爲少火以生氣失其位則爲壯火以蝕氣而爲元氣之賊故曰火與元氣勢不兩立一勝則一負凡邪之所湊其正必虛見有形之疾病有餘此無形之元氣不足也

○血爲火載則上行挾濕則下行　血屬水水性潤下氣

屬火火性炎上氣行則血從火即氣火炎則氣升而血上行溼亦水類得同類而下降

○人之賴以有生全仗陰陽水火而腎為陰陽水火之總根腎屬水而真水真火藏焉眞陰真陽寓焉為神明之用為有生之本為立命之根焉

○汗者心之液血之異名　離中真陰即心中之赤液也得心火令而成血傷寒家稱鼻衄為紅汗治實熱吐衄當發汗此奪汗則無血也血枯之病則肌膚焦乾此奪

血則無汗也盖汗與血同物而異名也

○思之爲害甚於慾　思則傷脾其損於血慾則傷腎其損於精然血能生精此血寔爲精之本也書曰無子責乎心不責乎腎而責於心是責乎精之本也思則根本受傷其害更甚

○熱則神昏寒則神清　熱則傷氣氣以生神氣病則神亦病神明無措而致昏亂如病危於陰陽離脫之際而精神猶見清爽言語尚不糢糊此内無陽也水能涵金而神清昧者誤認以爲吉也

○渴飲症有陰陽陽盛陰虛者則氷雪不知寒陰盛而陽

虛者則沸湯不知熱　此陰虛陽虛皆能致渴惟以飲冷飲湯之分别也然又有假陰假陽之機更爲幻妙故凡雖渴而不能飲者即是假象當參形脉以顯確之

○血乃人身之河渠貴流通而無凝滯

人身之血脉猶天地之河渠水得流通則萬物潤澤血能運行則百骸灌溉少有壅塞則萬病隨起

○耳屬腎陽氣盛則上通而聽陽氣虛則下脫而聾

腎開竅于耳腎中真陽即真火也爲先天之祖氣盛則

耳聰虛則耳聾方書以菖蒲爲治聾之要藥以辛香上氣開竅也

○表邪傳裏裡氣上逆故半表半裡症見多嘔此傷寒少陽症表不可汗裏不可下從乎中治之法也然氣上逆則爲嘔第有氣虛氣寔之機不可以不謹

大凡元氣虛弱而發熱者皆因內真寒而外假熱也此薛立齋治熱之秘法也誠一言開矇聵以溥濟於無窮也蓋虛則寒寔則熱寔能受寒虛能受熱凡元氣既虛弱而見熱病者非陰虛陽乘即水衰火炎或土虛不

能藏陽或火虛而虛火浮越而為假熱耳萬無寔熱之理医不察此誤用寒凉則殺人如反掌

○頭汗之症有二一為熱邪内壅一為陽氣內脫

熱邪之症更有二焉如濕熱上壅而頭汗其頭必重如風火相搏而頭汗其頭必眩至如陽虛汗脫其汗如珠其膩如油凝而不流乃將絕之汗也

○風為陽寒為陰衛為陽荣為陰風則傷陽寒則傷陰衛得風則熱荣得寒則痛　凡客邪之侵人各從其類而

入陽邪傷陽陰邪傷陰蓋風能扇火風火內熾而熱寒能泣血肌肉凝滯而痛也

○傷風乃表症中風乃裏症　傷風乃客邪外來之表症因陽氣不固而得之治宜散表而已中風乃正虛內起之裏症因陰虛衰竭而得之治惟峻補精血故曰治風先治血者也

○燥濕雖係外邪亦有陰陽之別濕從陰者為寒濕濕從陽者為熱濕燥從陽者因於火燥從陰者因於寒陽明燥金太陰濕土率為六淫中之客氣也然濕有陰陽燥分水火此虛寔寓在其中矣故治濕熱者宜清宜

滲治溼寒者宜補脾温腎燥由於陽盛而爍陰者則清火燥由於陰虛而火動者則滋水

○寒束於表者無汗火盛於裏者有瘍　汗者血之別名寒能泣血故寒束則無汗諸瘡皆屬心火熱盛傷血故有瘍

○走注而紅腫者知榮衛之有熱拘急而痠疼者知經絡之有寒　火性炎上而浮越衛行脉外榮行脉中有熱則膱肉走注紅腫寒能收引而泣血直行為經橫行為絡有寒則肢節痠疼而拘急

仲景曰腹滿不減減不足言當下之腹滿䩍減復如故此為寒當與温藥　滿症雖為有餘之病然有虛寔補瀉之别也盖腹滿不減減不足言乃堅固不移之象此寔滿也當瀉之腹滿䩍減復如故乃乍聚乍散之机此虛滿也當調補之

百病發熱莫不由於命火離宮若火安其位則百病俱已

凡發熱即我身內之火故表熱皆由裡陽外越上熱皆由下火上乘因元氣虛不能接納命門離宮變為壯火蝕氣而為害若火安其位又為少火以生氣則萬象泰然

○五藏皆有相火惟相火之寄於肝者善則發生惡則為害獨甚於他火　肝之相火即雷火也肝應東方甲乙木得其道則為春生涵育之氣勾萌甲柝氣滿乾坤失其道則激出腎中龍火焚燥三焦浮越膩表傷耗氣血無所不至

○食過飽則經絡橫鮮而肢體倦　脾主血脉主四肢胃過於受納脾不能速運氣化停滯故經絡橫解而四肢倦也

○冬傷於寒春必温病　冬傷於寒則一陽之氣藏於坎府之中不能固密了寒能泣血則腎中之真陰亦虛了

至春木當發生陽氣用事蓋真陽不能鼓舞於外真陰不能滋養於內身中所存者惟微陽耳木旺火相故爲溫病

○春傷於風夏生飧泄　春傷於風則風木太過木能剋土書曰風木爲好侵脾土故也則脾土已暗傷於三春之朝至夏溫熱之令行脾喜燥而惡濕故生飧泄經曰至而不至是爲不及所勝者妄行所不勝者薄之所生者受病此之謂也

○夏傷於暑秋必咳瘧　夏傷於暑蓋長夏天之陽氣浮于地表人之陽氣浮于膚表陽氣本以發泄而虛耗火能

尅金而傷氣氣更虛矣熱能沸血而傷陰陰亦隨耗矣至秋肅殺之令行氣血收斂氣虛則發寒血虛則發熱氣血交爭寒熱併作而為咳瘧

○秋傷於湿冬必咳嗽　秋傷於湿蓋秋為肅殺之令收斂下行之體也更為湿熱之氣所傷火反尅金而肺氣受傷矣至冬主閉塞氣歸于腎氣虛不能斂納故乃逆上而為咳嗽

○夏暑汗不出者秋成風瘧　三伏之熱溽暑薰蒸陽氣發泄主汗當出若高堂廣廈納扇乘凉汗不得出暑淒

藏於膔膚至秋肅殺之令行乃成風痝

○喜怒失節則傷藏傷藏則病起於陰　喜則傷心心喜則散氣更傷肺矣怒則傷肝肝盛怒則傷志更傷腎矣又欝怒則傷脾此喜怒則五藏俱傷矣　五藏屬陰故病起於陰

○病在陽者命曰風病在陰者命曰痺陰陽俱病曰風痺陽類熱陰類寒風爲陽邪痺爲陰邪風寒者皆能爲痛陰陽俱病以類相從故曰風痺

○汗出而身熱者風也　汗出而煩滿不解者厥也

風傷衛表氣虛故傷風則有汗而身猶熱汗出則火散
煩滿症屬火屬氣今汗出而熱不退煩滿不解此陽虛而陰乘之而發厥也
○人之形體骨爲君肉爲臣肥人者柔勝於剛陰勝於陽
且肉以血成總皆陰類
肥人陰盛陽衰故氣短饑冷如氷雪多痰多滯此中氣
内虛可知也故嗣育少壽算少亦此理也
○聲出於肺而本乎腎形強在血而本乎精
肺主出氣腎主納氣故肺爲聲音之戶腎爲聲音之根

且肉以血成骨本精聚故形屬血而骨屬精
○不語者責在肺腎昏眩者責在肝脾　肺出氣腎納氣
不語者氣之弱也肝藏血脾生血昏眩者血之虛也且內虛則生風
○六陽氣絶則陰與陽相離離則腠理發泄絶汗乃出故
旦占夕死夕占旦死　手三陽經足三陽經是謂六陽
至於要領者莫若胃之元陽爲後天生氣腎之眞陽爲
先天祖氣也大凡陰陽之道陽根於陰陰根於陽互爲
其用人之賴有生者惟陰平陽秘精神乃治若陰陽離

缺精神乃絶故陽絶則陰亦亡陰離則陽亦脫安望其有生耶

○勞則汗出内外皆越故氣耗矣

經曰形役則陽亢神靜則陰生故勞役則火動火尅金肺氣受傷衞氣虛而汗出則眞氣從之而耗散矣

○夏暑汗當出勿止　夏長暑濕之令行得汗則暑熱之毒邪散不留於腠膚故不可受扇乘凉而止也經曰夏暑汗不出秋成風瘧亦此理也

○心之所藏在内者爲血發外者爲汗蓋汗者心之液而

自汗之症未有不由心腎俱虚而得之者
此丹溪之法語也蓋汗者血之異名心統血汗固爲心
之液也然腎主五液又主閉藏而爲真陽真水自汗症
多屬陽虚雖由於心更關於腎也
○五臟不和則九竅不通六腑不和則留結爲癰
五臟屬陰陰爲陽守六腑屬陽陽爲陰使陰主血血散
則氣無所統而不通陽主氣氣滞則血凝結而爲癰
○酸走筋多食之令人癃鹹走血多食之令人渴

酸入肝肝主筋玉莖屬宗筋肝好疎泄故肝虛而小便癃閉鹹入腎腎主水水亦血類水衰火炎故腎虛症亦多渴

○大吐大瀉之後多為腹脹此脾氣大虛之候胃不能納即吐脾不能運即瀉大吐大瀉之候一物無存而猶腹脹必脾氣不運行氣壅而為假脹矣切不可誤認為仍有停留再加消導也

○吐酸者濕中生熱吞酸者虛火內欝皆屬脾胃虛寒吐酸之症人所易曉吞酸之症人所難知余已詳在導

流卷盂吐酸乃吐出之味酸吞酸者乃噯氣間胃汁隨而溢出於咽門吐之不出不得已而吞之其味覺酸蓋酸乃濕鬱之味土惡濕則土虛火鬱故曰脾胃虛寒

○脾土非命門之火不能生肺氣非命門之水不能化人知土能制水而不知陽寔制陰人知氣化爲精而不知精化爲氣　命門乃一身之太極腎中是其窟宅蓋左腎爲真陰真水以化肺氣右腎爲真陽真火以生脾土人知脾土能制腎水不知真火本制脾之陰濕而生土

也人知肺氣化水為精而不知真水為陰精之源而藏精也

○積以寒留留久則寒多為熱風以致積積成則症已非風

脾喜煖而惡寒煖則運行寒則凝滯故積之為病本於脾之虛寒寒氣久欝則反為熱也故曰初為寒中末為熱中然發病之端每多因風以致積蓋風木好侵脾土也脾虛則痰共死血得乘其隙而成積積之既成也專以脾胃為去積之根風非所預也

○痞滿之症人知氣之不運獨東垣以血病言也

脾氣不能運行則凝聚而為痞滿人皆知其以辛香行氣之藥而治之獨東垣以為血病以陰藥治之此深旨也蓋濁氣在上則生瞋脹經曰飲食不節起居不時者陰先受之故關格之症每成於胃口乾枯也凡以氣藥治滿病而病益進不知此義也故曰病在其陰無益其陽陽旺則陰消　○長夏病善洞泄乃寒中也

三伏薰蒸濕熱令行解不曰酷暑之為熱然熱字上有濕字蓋夏至一陰生夏月伏陰也外熱而內寒林木流

津故曰暑爲陰邪此義秘也
瀉多則亡陽謂亡其陰中之陽耳
瀉出於下下爲陰分故曰瀉則傷血曰亡陰特言其槩耳然瀉後敗傷胃氣陽氣下陷陰氣下脫甚則四肢厥逆而亡陽古法以附子理中湯治瀉此陰藥乎可謂陰亡乎當曰亡其陰中之陽此深切之旨也亦猶汗多亡陽當曰亡其陽中之陰余已詳論在導流卷裡
○乾渴大有不同渴者火燥有餘乾乃津液不足

盖寔火之渴火之有餘也亡陰之渴水之不足也渴則浩飲而無厭藏府焦燥求外水以自救也乾則頻飲而不能多津液耗竭欲潤其燥枯也寔火宜寒凉暫抑炎亢亡陰宜壯水以制陽光

○賊風虛邪者陽先受之飲食不節起居不訥者陰先受之賊風虛邪乃外来之病故陽先受之飲食起居乃内起之病故陰先受之此陽主外而陰主内也

○婦人以胎氣經水損陰爲甚故腰痛脚痠爲多

腎藏精肝藏血腎主骨肝主筋腰爲腎之府腳爲肝之府精虛則骨憊血衰而筋枯精血爲陰陰損故腰痛腳痿

○痛者寒氣多也有寒故痛　寒能濇血血凝則經絡結而痛故曰寒則傷形又寒則傷陽陽虛則血結氣結則血滯而痛也

○五藏六府之精皆上注於目而爲睛骨之精爲瞳子筋之精爲黑眼　眼科專門有五輪八廓之分五臟六腑之屬徒作多岐之惑耳總一身之氣血精華皆注於目而後能神明然其本更在肝腎二家而已肝屬黑輪腎

屬瞳人肝主血腎主精神光神膏神水率皆精血之別稱也又有最重者惟有腎主真陰真陽（火用光明水滋涵養已詳在眼門）

○瞳子高者太陰不足戴眼者太陽已絶

瞳子屬腎陰不足則陽有餘火性炎上而突起太陽經脉循脊骨上係於目直視者陽已絶氣脫而死矣

○小兒水在上火在下故目明老人火在上水在下故目昏不能遠視者陽氣不足不能近視者陰氣不足

易曰天地能明惟日與火然目之能明非獨火也水亦

繫焉書曰陰不能歸明於目此陰不養則不明也余讀眼科有曰陽不足陰有餘能近視不能遠視陰不足陽有餘能遠視不能近視甚為可哂能近視不能遠視理之常也能遠視不能近視無是理也每見陰虛人多有頭傾視深眼睛歪斜近之辨物猶如此況於遠乎經曰上氣不足腦為之不滿頭為之苦傾目為之視深此氣不足可言為陽有餘乎按經文只言陽不足陰不足而非遠近何得不究鑿空妄說而曰陰有餘陽有餘辭脉雖順

而義理逕遠背經旨甚矣哉

○鼻病常塞者多火暴塞者多風寒

肺金主氣開竅於鼻火尅金傷肺氣故常塞者因於火

○肺主皮毛風寒先侵皮毛肺氣内傷而暴塞

○精者生身之本故藏於冬者春不病温　冬至一陽生

君子潛藏固密寒邪不傷蓋勞役動作内外皆越腠理

不固爲寒所傷寒能泣血血以生精精血皆爲陰類至

春令行少陽之氣發旺木無水養相火妄行而爲温病

此真陰不能滋養於内真陽不能敷榮於外也
嘗貴後賤病名脫营嘗富後貧病名失精
蓋人貴者圖大望重應事接物一日萬幾其運用多勞
於神富者營圖便利一毫不損其運用多傷於志得志
時畧已耗損了失志時則更敗可知此心藏神統血血
為營乃曰脫營腎藏志藏精乃曰失精
精竭則陰虛陰虛則無氣以致為勞為損
精為陰氣為陽精生氣真精既竭真陰乃虛氣無所生

而衰敗臟腑空虛津液凝結而勞損之症成

人之漩溺賴心腎二氣之傳送　心與小腸為表裏腎與膀胱為表裏小腸滲出膀胱滲入而水道出焉此水之能出入非心腎之氣化何以能之非獨肺之治節也書云水無氣不化心為君火腎為相火火亦氣也

上之假熱由下之真寒　此陰逼陽之理也仲景曰虛症兩顴紅乃陰虛於下逼陽於上書云陰盛格陽又曰水極似火此之謂也蓋陽本升以陰吸之而不能升若

陰既虛無力吸陽陽得遂其升騰之氣而為之盛熱逼謂之逼陽非陰之逐陽也

熱極傷陰津液不行而小便秘　熱為火陰為水火炎則水竭故熱極則傷陰陰傷則血損血損則水衰水衰則津液竭而水道不行然亦有熱而氣秘之理蓋熱傷氣肺主氣治節不行而水道不通不可不知也

中寒、之症可見裡無火也　傷為輕中為重何冬月為傷寒、三季為中寒由冬月有伏陽也寒邪不能深入故

曰傷中乃直入而謂中邪得直入無所畏惮如入無人之境則身中之真陽真火其有無可知也故治法當急用温以調陽

暑天而能感寒則中表之氣不固可知

夏月天之陽氣浮于地表人之陽氣浮于膚表炎爆薰蒸肌膚欝熱而反能感寒豈非元陽已衰弱乎

久熱傷陰　凡熱則血枯水竭津液消耗陰分安得不傷盖陰虚則熱愈熾愈熱則愈傷愈傷則愈熱書曰

治傷寒以救陰為主此深旨也然經曰熱則傷氣此熱

既能傷陰又能傷氣熱之爲病陰陽俱傷乎初見似爲通治深味之則其中自有分岐夫經言熱傷氣乃初熱也外來之熱也熱傷陰乃久熱也內起之熱也書曰暴熱非陰久熱非陽亦此理也亦見治暑諸方不用血藥以其非傷陰之故也余得之自家亦有格言曰暴熱則傷陽久熱則傷陰併有一條論在導流卷使觀者知久近之有別免得臨症含糊

凡諸癜疹血盛氣壯則色紅而擻發血虛氣弱則色白

而隱伏有何毒之輕重乎

外科方論皆深指熱爲毒氣大要氣血不和之自病也豈有氣血之中更有何毒而能留毒於其間哉

雖有自汗盗汗之别總是虚人

汗者心腎之液血之異名也陽虚則自汗出陰虚則盗汗出向非陰陽本虚則汗何以出故汗總爲虚症也

足太陰厥氣上逆則霍亂

足太陰脾經也脾爲諸陰之首諸陰脉起於湧泉穴陰

中無陽則厥氣逆上陰乘於陽陰陽揮霍而霍亂

○腎虛則津液竭而大便燥

腎主五液虛則津液竭而大便燥結有云大腸亡血則燥亦本於腎虛也盖腎主水水為血之母也

○傷寒小便利者多吉

凡傷寒則初感皮毛肺氣先受肺主治節通調水道若肺氣無傷則治節令行水道自通故以見小便利為吉亦猶書曰傷寒以咳嗽為輕盖肺主表主咳此邪猶在表則裡自和故以為輕亦此理也

化機篇 四十一章

孤陽不能獨旺無根之火豈能長明

無陽則陰無以生無陰則陽無以化此陰陽互用陰中不可無陽陽中不可無陰然陽性火好上升陰爲陽守陰爲陽基陰爲陽維若陽中無陰則爲孤陽矣此是無根之火豈能長明者哉盖火性炎上力窮乃止止即滅矣

○陽之汗以天地之雨名之　盖汗出從表陽也而本于陰水之屬故以天地之雨應之雨雖爲陰非天之

陽氣下降則不雨也知雨之義者知汗之故也譬觀炎蒸之際得雨而清涼鬱熱之病發汗而機解此治熱邪之要雖以表散為速捷然求汗之法有升陽可以解表有滋陰可以致汗陽鬱之與陰虛大有不同也医者不達此亦殺人之一端原夫發表不遠熱專執辛香風藥其血愈枯其汗愈濇壯火焚焦玄水乾涸陰亡于下陽脫于上乃致不救

○諸泄小便不利　凡水穀入胃傳入小腸至蘭門則秘別渣滓入大腸水則滲出而入膀胱若下焦火衰則不

能秘別水穀併歸大腸而為泄瀉故泄瀉之症乃見小便不利蓋得此失彼也

○臍間動氣築築者乃真陰虛之兆也

此症医多不識乃臍間動氣築築然若有聲似腸鳴只而非腸鳴在皮裏膜外惟病者知甚無所苦亦不告医此係真陰虛極之機蓋真水衰火無歸源之力故隨氣游溢于下焦最忌白朮之燥医之辨症所當審慎乃衛生之一端也

○五奪之中惟瀉最速

五奪者血汗水吐瀉是也至於瀉者乃陰陽暴亡之機且脾胃為後天之主水穀之海

資生之用臟腑皆受氣焉病則十二經皆病脉經曰有胃氣則生無胃氣則死瀉則脾敗故五奪之中惟瀉最速

○呃逆之象如雨中之雷水中之渤夫陽爲陰蔽所以爲雷氣爲水覆所以爲渤故曰呃逆上冲皆屬于火

火即氣氣即聲愈鬱則愈發亦猶紙砲能聲振邇遐者火爲紙所鬱也盖火性炎上升騰火有阻遏其發愈烈故治火鬱之症惟宜發之切不可降降則愈鬱

○諸病以小水少則病益進　地氣上升天氣下降而爲泰

易曰天地交而萬物通也在人身中脾屬地肺屬天脾氣上輸于肺肺主治節通調水道下輸膀胱此爲泰也何病之有若小水少地氣不能上升天氣不能下降爲否易曰天地不交萬物不通此脾氣不能上升肺氣不得下降故也其病益進

○煩燥雖似輕症寔爲精神耗竭之機

煩出於心燥出於腎心爲神明之主腎爲精血之海率爲有生之根原病在根原拉朽摧枯之勢自易豈非精神

耗竭之機耶余臨症見此甚為可畏急為預治庶可挽回至若手足動搖則不可復為矣

○夫人之所以得長享者惟賴後天水穀之氣生此津液津液結則病竭則死　此喻嘉言也蓋脾胃為後天之化源五味入胃轉輸精華化生津液此一真之氣也導引家稱為玄漿玉液又曰花池水誠身中之鉛汞也生精生氣生神亦一物耳豈宜缺焉

○少不可弱老不可尫　凡少年輩乃陰生陽旺之時舉

大任重行遠如䌽食不知飽飢不知倦好趨好走倚食少嗜卧其少之弱長享之徵必不能也經曰人生四十陰氣自半此陰已虛則陽亦衰矣半百猶如此况晚景乎且𤸎乃陰陽俱病之機陽虛發寒陰虛發熱高年遇此豈非虛虛之禍乎

○夢遺書名走陽

精血皆陰類然血濁爲陰精清爲陽血能生精心知將來腎藏已往心腎不交知藏俱失而幻夢且心統血腎藏精心虛不能統腎虛不能藏乃夢乃遺此真陽離脱之症也

○精神内守病安從來有窒礙焉病由斯作

精氣神乃人之三寶也心藏神腎藏精心腎交而爲水火既濟玄府内充充則百邪外禦無隙可乘病安得入倘陰盛陽虛陽盛陰虛有陰中之火虛有陰中之水虛者此正氣不能主持邪氣得以乘虛而入者也

○天氣通於肺地氣通於嗌風氣通於肝雷氣通於心雨氣通於腎　夫人在氣交之中觸之相感肺屬乾而應天嗌屬胃而應地肝屬木而應風心屬火而應雷腎屬

水而應雨故百病之中六淫居其半信矣乎

○脉乃血之府諸脉皆屬于目故久視則傷目

經曰食入于胃散精于肝血脉乃成肝藏血繞筋故血以脉爲府肝開竅於目故諸脉屬目血隨氣運若目久注於物則氣壅而血傷

○六經爲川腸胃爲海

六經乃三陰三陽腸胃乃大小腸與胃也十二經脉皆禀受於胃猶百川之朝于海也

○在物者謂之心心有所憶謂之意意有所存謂之志因

志之變謂之思因思而遠慕謂之慮因慮而處物謂之智
七情本無形之可見可以易防若人不能正心以節制
之則禍起蕭墻盜洩精氣爲害特甚書云神思間病非
藥石之所可及豈是外來六淫之客病而能速爲袪除
此内致禍深於外致也珍生者當遠防之
○喜怒傷氣寒暑傷形
過喜則傷心暴怒則傷肝心爲君火肝爲相火是傷其
氣也寒能泣血熱能損血血乃肉肉乃形是傷其形也

○飲入于胃遊溢精氣上輸于脾脾氣散精上歸于肺通調水道下輸膀胱水精四布五經並行

飲爲無形之氣故其施泄皆從氣化而氣先生

○食入于胃散精于肝淫氣于筋濁氣歸心淫精于脉脉氣流經經氣歸于肺

食乃有形之物故其傳道皆從形化而血先成

○元氣勝穀氣其人瘦而壽穀氣勝元氣其人肥而夭

陽主生陰主殺氣爲陽血爲陰肉本血成瘦人陽勝陰

而壽肥人陰勝陽而夭

○龍潛海底龍起而火隨之元陽藏于坎府運用應于離宮此人生之命根也　龍即命門火即元陽爲海底故曰元陽藏于坎府龍起則君火相火三焦火五臟之火皆隨之焚焦草木乃爲龍雷火命火乃相火代心行君令心屬離故曰運用應于離宮名曰命門乃主命之門也爲有生之根本者也

○上盛則多飛下盛則多墜　人身氣血周流則榮和衛暢氣血自調而陰平陽秘何曾有上下之分蓋上盛則

下衰精神浮越而變彩下盛則上虛精氣下陷而變墜

○榮者水穀之精氣衛者水穀之捍氣也

榮本屬陰衛本屬陽清氣爲陽濁氣爲陰精氣者清氣也捍氣者濁氣也如何榮陰反爲清氣衛陽反爲濁氣蓋離中之一陰即心之陽血也故清氣爲榮坎中之一陽即腎之生氣也故濁氣爲衛凡水穀入胃清中之清者上輸于脾而爲榮血濁中之清者下流于膀胱而爲衛氣故曰脾者榮之本胃者衛之源而脾主後天陰血腎主先天陽氣也

○穀入于胃脉道乃行水入于經其血乃成

肝主筋脉脾主血脉食入于胃散精于肝故脉道行飲入于胃游溢精氣上輸于脾脾主血故其血乃成

○凡卧不安者血不歸肝衛氣不能入于陰也

陰主靜陽主動陰出于陽則寤陽入于陰則寐凡人卧則血歸藏於肝陽入于陰始能合目故不寐人小便頻此肝無血養而疎泄用事也

○不得卧而息有音者是陽明之逆也　經曰胃不和則

卧不安脾胃主四肢而胃爲後天陽氣氣逆不能布息故息有音也

○起居如故而息有音者此肺之脉絡逆也

肺之經絡名爲虛里在兩乳之間膻中氣海之所且肺爲諸氣之主逆則氣不舒暢而息有音也

○鬲肓之上中有父母　心肺居上焦故曰鬲肓之上肺主氣心主血氣爲衛血爲榮以其外能護衛百骸内則榮養臓内猶父母之保育子孫故稱爲父母焉

○脾爲諸陰之首目爲血脉之宗

足太陰脾經爲生血之源書曰爲榮之本又爲百骸之源脾者血之府故稱爲諸陰之首肝藏血開竅於目諸血脉者上注於目故目得血而能視故稱爲血脉之宗

○脾爲精液之本陽氣之宗　後天水穀之氣生此津液而成血血生精故脾爲精液之本也曰元氣曰營氣曰衛氣總皆胃氣之别名誠陽氣之所宗也

○人身之神貴於藏而黙用見於外則内虛也

風鑑家云面泛桃花目浮秋水此爲神不藏多主夭折

又曰形容古怪面部岩宂初見之可驚可悪深視之儼然有神此上格貴壽之相故可知人之神色不可外露也夫人之三寶精氣神也為一身之主宰其舍於心其用於目經曰主不明則十二官皆危此神不守舍也何医家辨症最是忽畧余每見暴亡之症由精神已先朧了甚爲可畏因立補神論非欲畫蛇要得衛生之一路在導流卷

○十二經脉三百六十五絡氣血皆上奉於面而走空竅此五臟氣血精華皆上注於面故目之賑視耳之能聽

口之能知五味鼻之能知香臭總之能者惟賴氣血之上走也

○先天如朝廷後天如司道執政在先天布政在後天先天乃腎中命門也書曰天非此火不能生物人非此火不能以有生為身中太極呼吸之根三焦之源十二脉之祖乃一身之真君主也譬猶朝廷執政凡後天脾之能運胃之能受肺之治節心之神明腎之技巧肝之謀慮胆之决斷大小腸之傳送膀胱之施化三焦之升降無非禀受於命門而後各司乃職譬猶司道之布政也

○形者氣之質也色者神之華也有諸中必形諸外欲審元氣之虛寔必觀其形欲驗其神之衰旺必察其色氣寔則形強氣虛則形倦神旺則色明神衰則色暗中之有無必兆於外

○心者五藏六腑之主目者宗筋之所聚上液之道故悲哀憂愁愁則心動心動則五藏六府皆揺揺則宗脉盛盛則液道開故涕泣焉　按上文乃黄帝岐伯問答後人滋演又曰心動火起火起則水聚而涕泣有曰悲哀傷

肺金生水而涕泣又曰胆水上溢而涕泣此皆與經義似不相符矣

○精散則視岐視岐則見兩物

此水衰陰虛之兆也精清屬陽陽中無陰而浮越火中無水而升騰以大病後與年衰人自可知也

○人生四十而陰氣自半　半即衰也書云十歲好走二十好趨三十好行四十好坐此陰氣自半可知也

○人始生成精精成而腦髓生　胎經曰一月如珠露二月如桃花此一點真氣為命門也無極而太極兩腎生

馬書云人之始生先生兩腎腎藏精主骨骨化而精成精成而腦髓生矣

○辛走氣鹹走血苦走骨甘走肉酸走筋此五味所禁辛散氣故閙辛即噫鹹凝血故食鹹則渴苦傷骨故食苦則損齒甘能緩故食甘則中滿酸能斂故食酸則筋急故肺病忌辛心病忌鹹腎病忌舌脾病忌耳肝病忌酸

○恐懼遺尿此心氣不足下連肝腎而然

心主喜寔則喜虛則驚故心虛則驚悸卒然則驚已然

則恐此驚亦恐之發端恐則傷腎腎虚不能閉藏水既虚則木失所養而肝氣疎泄肝主宗筋腎與膀胱相爲表裏故恐懼則遺尿也

○神有餘則笑不休神不足則悲　笑屬心心藏神神爲陽心統血而主火火性炎上笑乃火象血生精精生氣氣生神血有餘則神有餘神有餘則火盛而笑不休悲傷肺肺藏魄魄爲陰神不足本於血虚（血虚則陰虚陰虚則魄虚而悲）

○北方黑色入通於腎開竅於二陰

北方位乎坎屬水黑色在人身則腎應之腎之兩枚中有命門是二陰包一陽象乎坎開竅於前陰後陰故凡小便利溢大便秘結皆當責之於腎

仲卷終

鳳眼縣安山社協管阮文常助梓木三株

大慈隸目陳有榮卞隸阮廷貴各助一貫

平川衙通吏阮文鏊助三貫　既富總該總助一貫

礼生校祀亟高得溥助一貫

新鐫海上医宗心領全帙卷之五

医海求源季卷

海上懶翁黎氏纂輯
後學唐郡武春軒奉較
興安施黃武三安奉孜

治則篇該八十八章

○邪之所湊其正必虛不治其虛安問其餘人身中陰平陽秘精神乃治病安從来故曰百病本由虛兆雖有外邪感觸亦不過發病之一端凡見有餘之疾

病皆正氣之衰微治病者不急求其本治其虛尚可問其餘乎

○莫治風莫治燥治得火都風燥了 火生熱熱極生風又火盛傷陰陰竭則燥凡病症見風見燥惟宜壯水以制火或補陰以配陽火清則風自平而燥自潤矣倘不知此徒以風藥治風凉藥治燥則血耗而火愈熾風愈生燥愈濇矣蓋風藥能耗血寒藥能凝血古人此言爲能解之則陰陽水火曲暢旁通何施不可此深旨也

○識得標只取本治千人無一損

氣血者人之本外症者病之標有諸中必形諸外治者只宜認其標以知發病之端求其本以為去病之要則千人之中何憂一損盖標者百病之餘兆本者一元之真氣書曰治其一則百病消治其餘則頭緒亂不可監諸

○土旺則金生勿拘拘於保肺水壯則火息毋汲汲於清心頤生一語誠為虛勞之奧旨古今方法無以加矣盖虛勞本於精血敗傷之所致真水乾枯相火獨炎而生陰熱真火虛不能生脾土土不生金此氣無歸源之力而為

咳嗽故治法不外乎壮水補土四字而已矣好事者有五勞六極之分甚至七十二蘇之説及分方設目浩演繁多徒亂後人耳目医家見此哄舌寒心病家得此姑生待日委之天命誠爲可憾哉土虛不能生金若以燥藥則傷脾用理中溫脾藥右妙

○上午日咳乃胃中有火午後咳多屬陰虛黃昏咳乃火浮于肺不宜用寒涼宜歛而降之

自卯至巳爲陰中之陽且胃主氣爲後天陽氣此朝咳必胃中伏火也宜清之**清胃湯**

自午至申爲陽中之陰日行白道雖日已屬陽此刱咳多屬陰虛也宜滋陰而火自降

日入酉日黄爲之昏故曰黄昏從此至亥爲陰中之陰此刱咳乃陰火上溢而刑金肺也非有形之火也切不可誤用寒涼尅伐此火得水益焚遇濕益熾惟宜滋陰壯水之劑加五味斂而降之

○治風先治血血行風自滅　凡精血衰少則陰虛陰虛生内熱熱極生風或外風乘之而起故風病每得於陰

血虚也及既發也風能扇火而愈熱則陰愈虚而風愈動風之爲病四肢拘急攣疼此非風之能結束也實由血虚筋急而抽掣也書曰氣中無血則爲抽掣拘攣治之者輕則滋陰補血以濡潤之重則壯水爲補血之母以滙溉之無不應手取效若徒以風藥治風此做病也非治病也

。月事不來先瀉心火則血自下盖心主血心病則血不流夫月事不來既云心病而又曰瀉心豈非火虚之禍乎盖婦人性偏多欝以憂欝而傷心心傷而火更欝火即

氣氣鬱則血凝治當瀉心是瀉心之火非瀉心之血也氣行則血亦
下經云經病惟有血虛血滯血枯則補之而已矣滯則
行之不知者徒以辛香行氣之品適足以傷陰余只用
清心藥而血自行非特瀉鬱也盖心統血熱則病寒則
病求其所因而治之大要學能博識方能盡善庶不爲膠柱矣
○諸寒之而熱者取之陰諸熱之而寒者取之陽所謂求
其屬以推之也　以寒藥治熱病而猶熱者當責之陰
虛宜補血以滋陰或壯水以制陽光以熱藥治寒病而

猶寒者當責之陽虛宜補土以藏陽或益火以消陰翳此正治無能而用從治之法各從其類而後可入也

○治熱以寒温而行之治寒以熱涼而行之

水尅火火惡水故寒能格熱熱能拒寒凡以寒藥治熱病者須熱飲方可行之以熱藥治寒病者須涼飲方可行之此爲同類相從同氣相求亦從治之意也

○無陽則陰無以生是以氣藥有生血之功血藥無益氣之理　經云無陽則陰無以生無陰則陽無以化試

思生化二字各有意旨輕與重不可不深辨也蓋生者從無而有化者因其所有而後可以能化倘無生則何以化故陽有生陰之能也參芪苓术氣藥也補氣之中又爲益血生地歸芎血藥也補血之餘反爲滯氣故用補血之劑須加氣藥使陽生陰用補氣之劑不宜雜投陰藥以滯氣每見率多混用余已詳論八珍湯辯誤在導流卷

○亡血虛家切禁下者亦有可當下者宜下於畜妄之初禁下於亡失之後　血由火載而妄行下乃降火之捷

法惟於初起形壯脉寔火虚者則宜下之若於既亡失之後陰已虧則陽亦損雖猶熱亦火虚也切不可下更有奪汗無血之法寔者宜参用之

○氣有餘便是火血隨氣上補水則火自降氣順則血不升氣即火得其平則爲生生之氣失其平則爲害人之火此氣有餘爲火也血隨氣上氣因火升火受水制補水則火自降火降則氣自順氣順則血不妄行故曰治血必先理氣

○治渴必先須益血蓋血即津液所化故渴病每由於血虚也

夫血乃津液所化故血虛致渴之由譬如經曰鹹能走血多食鹹令人渴又陰虛黑瘦人症見頻飲此血虛之所致也余每治失血者後發渴輕用四物去川芎加生脉飲重用六味去澤左加生脉飲大劑浩飲皆覆杯取效此滋水補陰則血濡而渴自止矣

○痰本不能生病因病生痰耳若但知治痰而不知所以生痰則痰必愈甚　痰乃人身津液之所化亦養生之一物耳因氣血虛而生病病則津液不行而生痰此

因病而致痰非因痰而致病也善治病者當求其所因而治之也則不治痰而痰自化不知者徒以治痰爲事燥滲傷陰辛香耗氣重濁伐陽陰陽失化生之能脾胃無健運之力津液不生血而生痰痰必愈甚

○陽盛陰虛汗之必死下之則愈陰盛陽虛汗之則愈下之則死　陰虛陽盛生内熱下之以救陰則愈汗者血之别名陰既虛而反汗之則陰亡而死矣陽虛陰盛生外寒汗之以散寒則愈下則損胃氣陽既虛而反下

之則陽脱而死矣故桂枝承氣之戒本於此也桂枝下咽陽盛則死承氣入胃陰盛則亡

發表不遠熱攻裏不遠寒　夫寒邪外来非辛香之熱品不能散也熱邪入裏非苦泄之寒品不能下也書云傷寒身熱不可投凉藥又曰急下以救水存津液之机甚微也

○陰虛發熱治當壯水陽虛發熱治當益火

凡熱之爲病有外来之邪熱有七情之欝熱有土虛不能藏陽而熱有血虛火熾而熱此皆後天氣血間之病也至於陰陽虛而發熱此直指腎中真陰真陽也陰虛而

熱即真水衰相火獨炎治當壯水之主以制陽光六味丸是也陽虛而熱即龍火畏寒而浮越治當益火之源以消陰翳八味丸是也余已詳辨龍畏寒而飛畏熱而走在導流卷備矣

○上焦陽氣不足者必下陷於腎當取至陰之下下焦真陰不足者多飛越於上可不引之歸源乎

上焦陽氣即後天之胃氣也陽本上升虛必下降而陷於九地之下九地即腎之至陰也當用補中湯引陽氣左旋而升於九天之上以敷暄和發育之春陽下焦真陰即先天

之真水也真水衰則相火炎而飛越於上當用六味丸補水以制火使火自歸源以應封蟄閉藏之冬令此医家斡旋升降之妙用也

○微者逆之甚者從之

邪之微者則逆其勢而攻之以寒治熱以熱治寒此正治之法也病之甚者則從其性而順之此以寒治寒以熱療熱乃從治之法也

○脾胃之職原以化食為能令既不能化食乃其所能者病而尚可專意尅伐以害其所能乎

脾胃為倉廩之官胃主受納脾主運化各用其職也施

其能也惟在運化水穀也若胃虛不能受脾虛不能運此其職其能者病治者急當溫補之或補相火以生陰土或補土之外家以生陽土使各司乃職豈可專意尅伐徒以查芽麯麵諸辛香品而更害於其能乎

○大寔非大攻不足以蕩邪大虛非大補不足以奪病医者心欲小胆欲大觀形察色憑症診脉確然大寔則急攻無疑顯然大虛則峻補勿緩倘意見不真執持不定懼熱不前畏寒反止徒以不攻不補平淡之方包以

為穩當則至寔何以蕩邪至虛何以奪病書曰大寒大熱用得其當俱能益人斯為上工矣

○諸病多有兼鬱凡病宜兼鬱治

鬱者乃氣血不和暢流利之謂也六淫傷人此客邪之外鬱也七情害人此氣血之内鬱也越鞠凡之兼治五鬱無如八味逍遥之能通治諸鬱為尤勝也

○用補之法貴乎先重後輕務在成功用攻之法必須先緩後峻及中病則已　補有峻補滋補接補調補之異

法攻有發火清火降火伐火之别方夫病至於虛損非重劑峻補補之而接之焉能挽回元氣於垂絕元氣既復則調之滋之以助其發生之機耳治法宜先重後輕若病邪寔先則發之發之不應則清之清之不應輒用降之甚則伐之必須先緩而後峻也盖寔而誤補則益病虛而反瀉則含冤古人言宜用大承氣湯必先小承氣試之此鄭重之意不敢輕易用之也

○病生於内者先治其陰而後治其陽病生於陽者先治其

外而後治其內反者益甚　陽在外陰在內病生於內者陰病也病生於外者陽病也陰病必先補其陰而後治其陽外病必先制其邪而後補其正若不知此反之則病益甚此內經玄妙之處也凡医之治療百病皆然善乎景岳云非聖書不可讀非聖言不可法誠至論也

○陰精既竭非壯水則必不能行陽精既虛非益火則必不能固　腎爲命門之根本其真水真火藏焉景岳云陰中之水虛者病在精血陽中之火虛者病在神氣故

真陰竭治宜壯水六味凡是也真陽虚治宜益火八味凡是也

○治虚熱者非補土以藏陽即滋陰而降火

夫火之藏納不外乎水土之中人身脾土中火譬猶爐火中灰中無焰之火也得木則烟見湿則滅須以炭焙寘以温爐故脾中土虚而火不藏必甘温以養其火而火自退如補中歸脾四君理中建中之類經曰甘温能除大熱此補土以藏陽也腎中有真水真火相配焉陰火者譬猶燈燭之火須以膏油養之不宜雜入一滴寒水

得水即滅矣倘腎乾枯相火偏盛宜補水以配火則火自歸源如六味凡經曰壯水之主以制陽光此滋陰而而退火也

○陽虛之症責在胃陰虛之症責在腎

書曰後天之陽虛補胃氣先天之陰虛補腎水蓋胃乃元陽之子水穀之海為化生之源諸陽之主也腎居至陰之地精血之海為五液之主十二脉之根也故於陽亡之際非八味之所能惟參朮附方可以挽回又如陰竭之机非四物之可挽惟六味生脉可能救本此胃氣

即元氣也腎氣即真陰真水也

。納氣藏源舍腎其誰　肺雖爲氣之主而腎寔爲氣之根故肺主出氣腎主納氣凡人夜卧則氣歸藏於腎水之中肺乃腎之母家丹溪謂之母藏子宮若症見氣虚而逆上或爲喘脹咳嗽或嘔吐呃逆此辰欲補脾土以益肺金則奔逆之勢愈甚清之濕之肺氣日消則愈虚而愈逆此惟有斂而納之以水六味火八味之真藥加牛膝五味使之歸藏於腎水方無奔迫之虞若舍腎之外無别法也

○小病必由氣血之所偏大病必由水火之爲害治小病而舍氣血治大病而舍水火直猶緣木求魚刻舟求劍也凡治小病當責於後天脾肺之氣心肝之血治大病當求於先天真水真火之源蓋真水爲血之母真火爲氣之父書曰充足空虛者氣血也化生氣血者水火也又曰五臟之傷窮必及腎又曰百病皆根於腎故真陰真陽爲諸危病之要領人之求生寧能外乎真陰真陽之中医不達此何啻緣木刺舟終無所得

○風則散之寒則温之　風爲陽邪寒爲隂邪風傷衛則表虚寒傷榮則血泣衛爲表榮爲裏故風則宜散寒則宜温此治邪之常法也

○無子責心之虚髮白責腎之弱　世人皆曰心統血髮乃血之餘則髮白當責扵心也腎中命門男子藏精女子繫胞則無子當責扵腎也何反曰無子責心之虚髮白責腎之弱蓋心能統血血能生精此精本扵血也精之衰竭豈不由扵血之衰損乎故無子寔宜責心之虚

也腎中有真陰蓋真陰為血之根此水旺則血強也血之乾枯非不因於水之涸竭乎故髮白正宜責腎之弱也

○治諸病以水火為根以氣血為用　水火為氣血之父母化生之本始神明之妙用故曰水火者體也氣血者用也水火猶根本氣血猶枝葉培植根本則枝葉敷榮

○正氣得力自能推出寒邪　經曰邪之所湊其正必虛此百病無不因虛然新邪暴客正氣未虛者則先散邪而後扶正若客邪久纏正氣已弱惟宜溫養正氣正

氣旺則邪無所容之地此不攻邪而邪自退矣

○外感少内傷多但補其中益其氣而邪自退不必攻邪

此治虚人内傷挾外感之要旨也若外感重内傷輕則先可暫從表散而後投溫補若外感少而内傷多則惟宜以補益爲主不必攻邪正氣旺則邪自散

○和血則便膿自愈行氣則後重自除

此治痢之要旨也盖痢之爲症氣血俱虚經曰滯下其要旨可領由於滯而痢下滯則不通而兆見後重故治法

不越乎和血行氣二者而已

○高者因而越之下者因而竭之　此治寒邪之大旨也夫邪既在上豈可下之以引其深入乎故當因而越之此吐法也邪既在下豈可再提之以禍其生氣乎故宜引而竭之此下法也愚按下早而陷胸當用陷胸湯景岳非之曰既失於下而再下此論最為辭確理壯然邪既在下不因而竭之再提之可乎

○陽病治陰陰病治陽定其氣血各守其鄉

此陰虛陽乘之機也陽虛則陰勝陰虛則陽勝故陽病治陰以救陽也陰病治陽以救陰也使氣血各安其位陽秘陰平而自治也　○陽實則發散陰實則宣瀉陽實者此言邪實於表也則發散之陰實者此言邪實於裏也則宣瀉之蓋實者邪留而不去乃為實故可攻之倘陰陽既已能實曰平曰秘（予俟考）精神乃治病安從來豈敢散之瀉之乎

○坤德或嘶當補土以培其卑監乾健稍弛宜益火以助其轉輸　經曰土太過曰墩埠土平曰備化不及曰

卑監卑監乃土虛也當補之以培其不及書曰脾具坤柔之德而有乾健之功盖脾司運化水穀也若乾健稍弛則宜補少陰相火以助其轉輸

○遇症之虛亟保北方以培生命　經曰北方黑色入通於腎腎屬北方也又曰腎屬北方有兩枚命火居中此二陰包一陽以成乎坎位乎北也此腎為身中之太極呼吸之主三焦之源十二脉之根為有生之本立命之基書曰百病皆根於腎又曰真陰真陽為諸危病之要

領人之求生豈能外乎真陰真陽之中故凡遇大虛之症當急補真陰真陽以為求生之要道

○寔火可瀉虛火可補癆症之火虛乎寔乎瀉之可乎此丹溪之法言也夫寔火者陽盛之火也則以大苦大寒攻之伐之此寔火之可瀉也虛火者陰虛之火也則以甘温甘涼補土滋陰此虛火之可補也癆之症既曰虛勞是虛勞之熱即為虛熱非寔熱也何治者不取本求源滋之養之徒以知栢苦寒更加削伐不死何待誠可慼也夫

○屢行發散而汗不能透者陰虛不能外達也人知汗屬於陽升陽可以解表而不知汗生於陰滋陰可以發汗也經曰人之汗以天之雨名之此汗即水也又曰汗是心之液血之異名此汗亦血也余每見陰虛病人體似乾柴一團陰火內熾焚爍藏府五液焦枯雖有外邪表症勢在必汗然屢用風藥發散則其血愈耗而汗愈濇惟以柔潤之藥滋其陰補其血則榮和衛暢不發汗而汗自解故曰求汗於血此深旨也又曰雲蒸雨化此妙理

也医之治療徒以散表為捷法倘知此而不達彼則終無消也

○內熱不解屢清之而火不退陰不足也人知寒凉可以去熱而不知壯水可以制火

凡病起於內熱蒸又不知者用寒凉以去熱清之伐之而火終不退此陰虛也經曰諸寒之而熱者取之陰此滋陰而火自降不必降火也經曰寒之不寒責其無水此當壯水之主以制陽光不必徒攻熱也

○新邪之来客也未有定處推之則前引之則止逆而迎

之其病立已　此内經治邪之要法盖風寒之客於人身其始也必感於皮毛自表及裏傳遞莫有定處書曰傷寒以咳嗽爲輕者邪猶在表也猶在表則推之即汗法也在上則引之即吐法也在裏則迎之即下法也故仲景治傷寒有汗吐下三法盖本於此矣

○七節之旁中有小心從之有福逆之有咎　人身脊骨二十一椎命門在腎中夾脊數上十四椎數下七椎故曰七節之旁中有小心此心爲一身之主此

大君也命門爲宰相代君行令此小君也故稱小心倘不得其平則起而挾雷火焚爍三焦謂之龍雷火遇濕益焚逢水益熾惟以桂附從其性而引之歸源則壯火仍爲少火而萬象泰然故曰從治有福逆治有咎

○高者抑之下者舉之有餘者折之不足者補之佐以利和以宜必安其主客適其寒溫同者逆之異者從之如其火炎上者則降之氣陷下者則升之邪氣寔者則瀉之散之正氣虛者則補之充之以鼓舞之藥佐之使

其不滯以同氣藥和之使其相合務要主客相安寒溫得所邪猶微者則正治之甚者則反治之逆治即正治以寒治熱以熱治寒從治即反治以熱退熱以寒導寒

○氣有高下病有遠近症有中外治有重輕適其所因為妙邪氣之客於人身者或在上或在下經曰傷於風者上先受之傷於湿者下先受之之類是也故病之所因各有遠近症之所發自有表裏及其治也有輕治有重治或先輕後重或先重後輕隨邪之所在爲其所因中病則已

○謹守病機各司其屬有者求之無者求之盛者責之虚者責之必先五勝踈其氣血令其調達而致和平

凡治病要識病機而求其所屬或屬氣或屬血或陰或陽有者則求其屬而治之無者則因其所因而治之寔者瀉之虚者補之然必更審亢害承制於五勝者踈之調之則病自愈矣

○補上治上制以緩補下治下制以急急則氣味厚緩則氣味薄

草木之性氣為陽味為陰氣之薄者為陽

中之陰氣之厚者爲陽中之陽味之薄者爲陰中之陽
味之厚者爲陰中之陰陽則升陰則降升主乎上降主
乎下故治上宜從陽分藥治下宜從陰分藥
○熱之不熱久責心之虛寒之不寒久責腎之少
心屬火主熱腎屬水主寒凡病見乍熱乍寒此心之虛
而熱不能久也症見乍寒乍温此腎之虛而寒不能久
也治宜補心則熱自平補腎則寒自解
○取心者不必應以熱取腎者不必應以寒但益心之陽

寒亦通行強腎之陰熱亦痊可　心本熱腎本寒熱藥
應心寒藥應腎取者即求也凡以熱藥求應於心而治
寒以寒藥求應於腎而治熱此正治也然不必應以此
但補心之陽陽旺則寒不攻而自解也補腎之陰陰強
則熱不清而自除此乃從治取本之道也
○少陰經腎藏中重在真陽陽不固則邪不去厥陰經肝藏中
職司藏血血不養則脉不起　足少陰腎腎之政令總
在乎命門重在真陽也凡火安其位則百病俱已故曰

陽不回則邪不去足厥陰肝肝藏血血養筋為諸脉之原血不充則筋痿脉弱故曰血不養則脉不起
○陽勝則熱陰勝則寒經曰陽根於陰陰根於陽凡病不可正治正治者當從陽以引陰從陰以引陽各求其屬而推之如求汗於血生氣於精從陽引陰也又如引火歸源納氣歸腎從陰引陽也此即水中取火火中取水之妙用也　陽本熱陰本寒陽勝則獨熱陰勝則獨寒陽中有陰陰中有陽陰陽並用互為其根如以寒治熱

以熱治寒此寔病正治之法也若虛而有假寒假熱當求真屬以引之推之汗與氣陽之類也精與血陰之類也火與氣陽之類也水與腎陰之類也地茱之君桂附乃水中補火也桂附之佐地茱乃火中補水也

○必先其所主而後其所因　主者乃先症　為病之標的也因者乃本氣為病之發端也此經言先治其標後治其本之要法也

○陽甚虛者補陽以生陰使陽從陰長陰甚虛者補陰以配陽使陽從陰化　此陰陽互藏其根水火互為其用

無陽則陰無以生無陰則陽無以化若陽虛而誤用陰藥陰盛則陽愈衰陰虛而偏用陽藥陽盛則陰愈消然氣藥有生血之功血藥無益氣之理妙在參用合宜為得其當耳

○虛為百病之由治虛者為去病之要　經曰邪之所湊其正必虛正氣衰微邪氣有隙可乘蓋諸病莫不由虛召書云不治其虛安問其餘是治虛誠為去病之要道也

○先天之陽虛補命火後天之陽虛補胃氣先天之陰虛補腎水後天之陰虛補心肝　先天之陰陽乃無形

之水火也後天之陰陽乃有形之氣血也無有間最是
關頭處治療不求其門則無路可入故曰滋腎水重熹
地而不用苓歸補命火重肉桂而不用芪朮

○初病當分内外久病總致一虛

經曰新邪之来客也推之引之逆而迎之外来之初病
惟以汗散爲事内起之初病惟以消之平之爲要此初
病當以内因外因而分治之倘留而不去則邪自表入
裏自陽入陰津液衰竭氣血耗傷總爲一虛當用補救

○并温但補五臟之陽氣并寒能補五臟之真陰并温即參芪之屬并寒即地茱之屬然以但補四字甚為可玩此但之與能功力淺深相去懸絶矣盖五臟之陽氣率為有形之陽五臟之真陰本為無形之陰且陰陽之理妙在無形從無而有無極而太極萬物之生成必先無形而後可得以有形也医能達此化机可畢矣

○利水不施於久病之後收澁不投於初起之期面赤渴瀉者煖劑宜禁久瀉作渴者凉藥忌投

此皆治瀉之要旨經曰諸泄小便不利故治瀉惟以利小便爲要若瀉在久病之後因病耗津液已皆困竭不宜更加滲利益虛其虛若瀉初起無他病者則忌補澁以閉其邪又如初瀉面赤而渴者此是熱瀉温補之劑宜禁如久瀉而渴者此是傷陰津液涸渇清凉之藥忌投然以愚見瀉家利水則已矣又曰雖若投滲利而點滴不能通者以肺失治節水無氣不行矣又有小腸滲出膀胱滲入若命門火衰則氣化不及於州都矣又如

瀉則玄水枯竭不問寒熱無有不渴之理寒而致瀉十之八九熱而致瀉十之二三故熱瀉症則見身溫惡熱面赤發渴飲冷痛瀉如注或直射脉則洪數有力方為真熱瀉蓋熱則寔治法惟宜凉劑若審認不真誤用寒凉於無根之火者則殺人如反掌

○治濕不利小便非其治也　濕因水致去水所以燥濕利小便即去水也故治濕以利小便為要然此特其一端耳蓋濕中有寒熱之分從陽者為熱濕從陰者為寒

濕熱者滲利宜矣寒者只宜温補下焦相火相火令行則蘭門之秘別中州之健運無不奉令而各司乃職又有風能勝濕之義制方治濕多用風藥此為寔邪而設非是治虛之劑医宜兼見非一隅之能盡也

○積虛必挾寒脾虛必補母　書曰壯人無積此積因於虛也虛必寒不温補非其治也脾為太陰濕土少陽相火所生也虛則補母使下有火力蒸腐能而運行健

○氣有餘便是火故散火在於抑氣血不足則陰虛而補

陰在於滋水　氣即火火即氣氣逆上則火炎故散火

必先於抑氣氣順則火自降血爲陰陰即水血不足則

陰虛故補陰法當專於滋水水充則陰亦旺

○香附砂仁婦人之至寶蓯蓉山藥男子之佳珍

婦人性偏多鬱凡治宜參鬱治香附開鬱砂仁破滯故

以爲寶男子節慾者少嗜慾者多凡病多因於斲喪山

藥益腎蓯蓉補精故以爲珍

○過汗則心虛過下則脾損　心統血汗者血之異名書

曰奪汗者無血故發汗則心虛每汗後心跳驚悸甚則筋燥發痙此失血亡陰之兆也脾爲倉廩之官胃爲水穀之海故過下則水穀去而倉廩空虛每見下後四肢厥冷此胃敗亡陽之機也

○治陰症以救陽爲先治傷寒以救陰爲主

凡寒邪直中陰經則四肢厥冷或爲吐利脹滿面青瓜黑口噤目強此陽氣暴亡之機急宜温補以回陽則已惟治傷寒以救陰爲主旨哉垂訓誠不刋不傳之秘法

也蓋寒則傷榮故曰寒能泣血血損陰必虛矣又邪氣久纏正氣内鬱而爲内熱熱則傷陰陰愈傷則愈熱愈熱則陰愈傷乃至久熱不解面黎舌黑體似乾柴精血耗竭陰亡於下陽脱於上不可復爲矣余治邪有一要法不特傷寒凡感冒諸症見有發熱者惟以血分藥爲君對症藥爲佐使或使之汗散或用之清解不事六經而取效如拾芥蓋能防微杜漸於未萌之初寔自家心得之妙旨有同志者是知音

○有形之血不能速生無形之氣所當急固血屬陰爲有形氣屬陽爲無形陽火易救陰水難求故崩脫之際不用血藥只服獨參湯盖血脫補氣使無形生出有形且陰亡則陽亦脫宜急固其陽也余觸此化機而旁通之乃得一秘法寔醫家心領之要旨也其法凡治熱症切不可以熱盡去爲期惟憑胃氣強弱爲凖的強者以熱盡清之無害弱者見熱已稍清一二分則間以陽藥急補胃氣胃氣漸旺則又以陰藥清熱如此調

停而使胃氣無一毫衰損方爲保全無遺計矣余已詳論陰虛難補在導流卷當深玩之

○諸虛以人參爲君猶人以穀氣爲主　人參上應瑶星體似人形本草稱其功魁群品能回元氣於無何有之鄉故諸虛症得之誠似饑渇之於飲食補虛劑中稱爲君也譬猶人之有生惟賴此穀氣化生精華也

○火借氣於五臟痰借液於五味氣有餘則爲火液有餘則爲痰氣能發火火能役痰治痰者必降其火治火者

必順其氣　書云見痰休治痰方爲医中傑盖治痰莫若降火降火莫若理氣氣順則火自降而痰自消此痰本不能生病因病而生痰耳何吾於治痰哉

○老人不宜速降其火虚人不宜盡去其痰　火即氣老人陽氣衰少雖見火症絶不宜清况於降乎火去氣亦絶矣虚人津液已至衰竭痰即津液所化書云津液結則病竭則死矣去痰即所以竭津液也道引家曰遠唾不如近唾近唾不如無唾盖津液亦有生之本所當自重焉

○真陰乃腎水非心肝之血也真陽乃命火非脾肺之氣也是以滋腎水重熟地而不用芎歸補命火重肉桂而不用芪朮昧者率以氣血為陰陽不知氣血還有氣血之根如心肝者乃後天有形之血也其根在於先天腎中真陰脾肺者乃後天有形之氣也其根在於先天腎中命火故芎歸辛竄僅可調榮芪朮甘温只能益衛調也益也皆後天氣血之用至如滋腎水則純靜之熟地補命火則甜香之肉桂已非辛竄甘温之能預也豈可混投

○氣虛於中安能達表非補其氣機能解乎血虛於裡安能化液非補其精汗能生乎　人之汗猶天之雨非天之陽氣下降則不雨凡氣虛則下陷故升陽可以解表又血本乎陰水之屬汗乃血之異名故滋陰可以發汗而有求汗於血之法乃雲蒸雨降之妙

○邪之在表不可攻裏或發表或微解或溫散或凉散或溫中托裏而為不散之散或補助真陰而為雲蒸雨化之散

此景岳逐邪之妙法蓋外邪客於人身未有定位宜急

引之推之不可抑遏以致自表及裏害必歸陰猶閉門留敵而其中自有不散之散以補為攻誠為王道温中即從陽引陰也助陰即從陰引陽也

○益陰宜遠苦寒以傷胃益陽宜遠辛散以泄氣

凡藥之清凉方可滋陰味之辛温方可益陽然苦寒則反傷胃氣辛散則耗泄元陽得此失彼在所斟酌

○祛風勿過燥清暑勿輕下産後忌寒凉滯下忌斂澁

治風先治血風藥皆辛散之品能耗其血故祛風勿過

於燥劑也暑爲濕熱之氣雖症多脹瀉然熱則傷氣故勿輕下以損胃氣也産後乃陰陽俱虛之際虛則必寒治當温補切忌寒凉也痢因積成經曰滯下故症見裡急後重治當和血行氣最忌斂澁以閉其邪

○陽有餘而更施陽治則陽愈熾而陰愈消陽不足而更用陰方則陰愈盛而陽斯滅矣　此言粗工騙淺所見不真虛寔誤認補瀉混投乃有寔寔虛虛之禍盖陰陽之理宜平不宜偏陽旺則陰消陰盛則陽滅矣

○病由痰乎痰由病乎豈非痰必由於虛乎可見天下之寔痰無幾而痰之宜伐者無幾故治痰者必當溫脾強腎以治痰之本使根本漸充則痰不治而自去

因病而生痰痰不能生病也凡病必由於虛兆盖腎主五液腎虛水不生血而生痰痰之本於腎也脾主運化脾虛不能運而生痰痰不化在於脾矣故曰治痰之本要在脾腎二家而已若健運得力精血充盈雖不攻痰而痰自化

○熱勝者陰必病故治熱必從血分寒勝者陽必病故治

寒必從氣分　陽盛則陰消故熱必傷陰熱能沸血治熱宜柔潤之劑以補血此滋陰以配陽也水能尅火故寒則傷陽陽虛畏寒凡治寒宜辛溫之品以補氣此益陽以制陰也然此率皆後天有形之氣血則四物調榮四君補衞足於事矣倘傷及根本非六味之壯水八味之益火終無濟也

○有形之疾病難除必求無形水火之真藥可化凡大虛之病多有奇形異狀變幻百端書所難言医所不識不必旁問支離惟以六味八味凡從立命根本處

以培補之則無形之元氣自固於中而有形之疾病無容於外書云百病皆根於腎正謂此也

○病有形而不痛者陽之類也病無形而痛者陰之類也無形而痛者其陽完而陰傷也有急治其陰無攻其陽有形而痛者其陰完而陽傷也有急治其陽無攻其陰此癰疽治法經曰陽主形陰主痛故凡病癰腫有形者為陽症也有痛者為陰症也陰痛則救陰勿犯其陽陽傷則救陽無犯其陰

○寔痞寔滿者可散可消虛痞虛滿者非大加温補不可
寔則瀉虛則補法之常也然暫用之於痞滿者攻逐之
亦可也書云壯人無積虛則有之又曰初病當分内外
久病總致一虛痞滿之症多得於虛也

○但見其元陽不足則氣虛於中雖有外熱即假熱耳切
不可用凉藥中氣愈敗則邪氣愈強

以寒治熱正治也以熱治熱從治也然症病之多假象
假者幻冥書曰當以元氣爲主外症無足憑真秘法也可不監諸

○用熱遠熱用寒遠寒乃不可過也
此經言病宜用熱藥不可過熱宜用寒藥不可過寒蓋不遠熱則熱至不遠寒則寒至又云夏遠桂附冬遠芩連勿伐天和此亦遠熱遠寒之理也
○凡欲察病必須先察胃氣凡欲治病必須先顧胃氣胃氣無損則無可慮　人生以胃氣爲主脉經曰有胃氣則生無胃氣則死又曰胃氣一敗百藥難施蓋五臟六腑皆受氣于胃胃爲後天之化原胃病則十二經皆病

余臨症雖見陰熱烝烝而食減氣短者則急用陽藥以救胃氣以幾希之氣所當急固也余常論有朝補腎不若補脾在導流卷甚詳且宜參看

○凡大腫大毒不於先天真陰真陽處求之不能療也諸瘡小癤不於後天脾胃氣血中求之亦無益也此不獨瘡家治療之大旨然諸症亦猶是也書曰大病必由於水火之爲害小病必由於氣血之所偏治大病而舍水火治小病而舍氣血譬猶緣木求魚終無所得

○挾熱吐瀉不可投燥藥傷寒身熱不可投涼藥
經曰諸嘔逆上冲皆屬於火又曰火性急速痛瀉之症火之壯也凡吐瀉而見身熱脉洪寔者不宜用燥澁之藥恐以火濟火也傷寒身熱者此外為寒邪所束元氣自鬱於中而為身熱即内火也非外火也故不可見熱而投涼藥恐其以寒益寒也

○天地之理陽統乎陰血隨乎氣故治血必先理氣血脫必先益氣　陽生則陰長故氣藥有生血之功血藥無

盈氣之理凡血脫之症惟用獨參湯是專重幾希之氣也

○審其所因求其所屬避其盛因其衰安其正化其邪還其原勝其蘊　此內經言治療之大旨所因者審其病之由也所屬者求其屬氣屬血也避盛者避病之強行不可過也因衰者因其邪氣之衰而散也安正者扶其正氣也化邪者散之消之也還原者補其虛還其蘊物也勝蘊者病後使元氣盈壯也

○熱勝則腫寒勝則浮　腫實也浮虛也熱傷肺肺主氣

關節不行而腫寒傷血寒泣血臟肉似澁則滓
虛寔病之機補瀉治之法　邪氣盛則寔正氣奪則虛
然疾病者不外乎此補瀉者扶正去邪之義也
求汗於血生氣於精從陽引陰也非火中求水之義乎
經曰益血可以致汗然非升陽亦不能達精本有形生
出無形當云精生於血又非汗水也陰血之屬也非升
陽不能發汗氣無形陽也精有形陰也非補氣則精不
生故曰從陽引陰氣本生於火試思人與物不熱則無

氣又如引火歸源納氣皈腎從陰引陽也非火中取水之義乎熱則傷氣欲惡火之爲熱而痛除之則天真之火旣盡矣而氣亦絶也此氣即是火火可峻攻之乎

虚火本無水當補水以配火两平則病痊欲去火以復水則旣虧之水罕来而偕火去矣當培其不足不可伐之若擧手便清火降火瀉火伐火又謂抑陽以扶陰則陽爲生機陽氣盡未有不死之理可不寒心哉

先天之陽虚補命門先天之陰虚補腎水

真陽火衰則少火變爲壯火與元氣爲賊合用桂附補之歸源真陰虛則水衰而火熾故云壯水之主以鎮陽光是也

○四詗以胃氣爲本傷寒危候必診冲陽以究存沒診脉有冲陽應手則曰生又曰冲陽不應手則坐而待斃矣冲陽即胃脉也

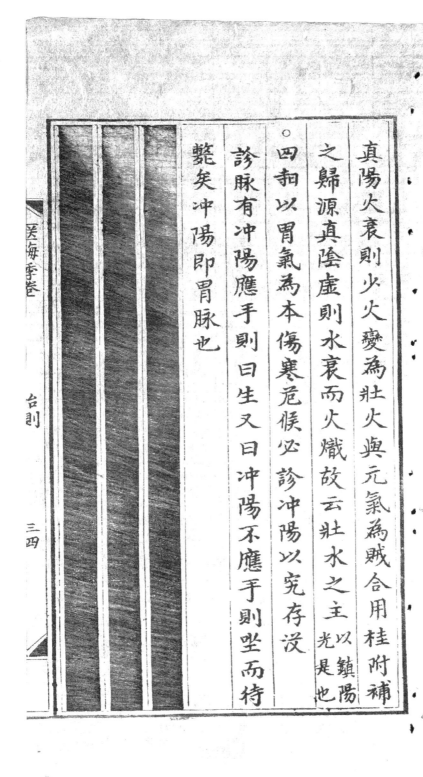

医訓篇凡三十三章

王太僕曰粗工騙淺學未精深以熱攻寒以寒療熱治熱未已而冷疾已生攻寒日深而熱病更起熱起而中寒尚在寒生而外熱不除欲攻寒而懼熱不前欲療熱則畏寒又止豈知藏府之源有寒熱溫涼之主哉

此言誠爲医家之明鑑也蓋昧者見病則治病不知審其所因求其所屬經曰益心之陽寒亦通行強腎之陰熱亦痊可此不攻寒而寒自解不攻熱而熱自除即求

本之道也柰何見識不真執持兩端茫然如涉海問津治頭治脚那免多岐亡羊之惑哉

○世人之病十有九虛医師之治百無一補天真之氣愈降人在氣交之中所禀隨之而亦薄矣凡有疾病十致九虛何治者不能一補（非獨痢症）

表裏寒熱虛實為医家之關鍵

人之百病變幻千端其見症也非表即裏非寒即熱非實即虛其治法也表則散之裏則和之寒則溫之熱則

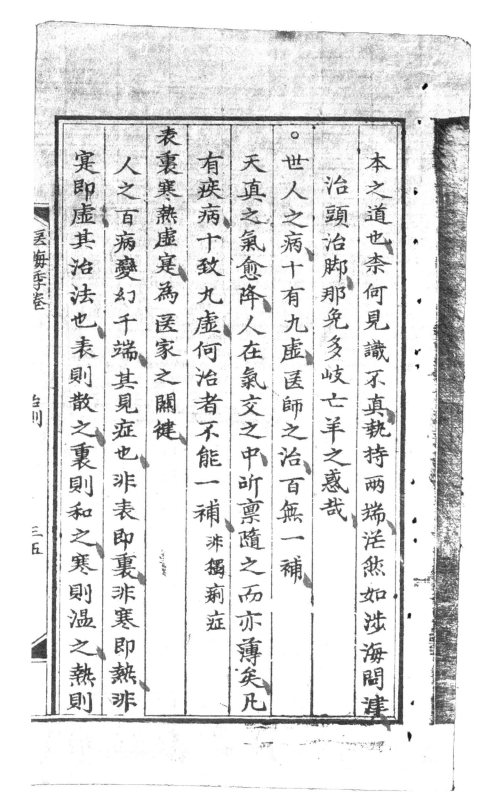

清之虛則補之寔則瀉之惟六者誠為医家之關鍵也

。詩曰見瘀休治瘀見血休治血無汗不發汗有熱莫攻熱喘生無耗氣精遺勿濇泄明得箇中趣方是医中傑

瘀因火動火降則瘀消休治瘀也血因氣上氣順則血歸休治血也汗乃血液血枯則無汗補血而汗自出不必發汗也熱由陰虛補水則熱自降也不必攻熱也氣逆則喘生納氣歸源氣有所歸則喘止無耗氣也精遺則本虛腎主閉藏補之則自能斂納勿濇泄也此皆治

本之要道不攻邪而邪自退不治病而病自除經曰治病必求其本医能透徹玄機真医中之豪傑也

○人知所急在病不知所急在命　夫有形之疾病不能速除而無形之元氣所當急固盖元陽急去勢若弦絶挽之何及昧者只知治病而不知治命余臨症見陰亡陽脱之危機已萌者惟諄諄以急救胃氣爲本雖有雜症蜂起不敢旁顧支離盖胃氣無損者諸無可慮待胃氣既復陽虚始議補陽陰虚方敢補陰然補陽之中更

圖接陰補陰之際又求接陽大要補陽得十分健旺方補陰六七分以陽為有生之基而首重故也

○人之氣血陰陽本自不同病之表裏寒熱豈皆如一人有氣虛血虛有偏陰偏陽之不同病有表症裏症有虛寒寔熱之異狀何治者謾以千古之成方強合百般之變症北轍南轅誠為難矣

○天下之病變態雖多其本則一天下之方活法雖多對症則一 人之百病名目雖異總不外乎陰陽氣血之

一本也古之名方各有奇驗至於中病不過一方（治一病也）

○王應震曰一點真陽寄坎宮固根須用味甘温甘温有補寒無補堪笑庸医錯用功

一點真陽即命門龍火本畏寒也遇水益焚遇濕益熾欲固其根惟肉桂之甘温從其性而補之（非知栢寒凉之能補也）

○百病強行過止皆非良法　古人云藥猶兵也兵法曰避其銳擊其衰医家曰避其盛因其衰蓋新邪之來客也勢必猖獗此時惟審其所因順而導之待其衰（方可遏止）

。人惟知氣血則曰氣陽血陰惟知臟腑則曰臟陰腑陽知水火不過坎腎離心而已孰知氣血更有氣血之根陰陽更有真陰真陽之所水火更有真水真火之源醫之道自有王伯殊途王道即云醫道也伯道即云醫術也醫之王道則取本求源治病而不治命醫之伯術則治頭治脚取標而不取本嗟夫非醫之有王伯由乎見識之淺深也故淺者徒以臟腑氣血爲陰陽以心腎爲水火全不知真陰即真水爲血之根真陽即真火爲氣

之源此皆先天無形之水火也為有生之本為立命之根為諸病之要領人之求生医之神靈不外乎此也

○凡用滋補藥病不增即是減内已受補故也用尅伐藥病不減即是增内已受攻故也　書曰寔則受寒虛則受熱此攻補之常道也然攻則效速補則效遲故補而病不增無寔邪也攻而病不減此正虛也

○治虛之法當培其不足不可攻伐其有餘夫既緣虛損而再去其所餘則兩敗俱傷矣

水之不足因見火之有餘水之有餘緣於火之不足水不足則補水以制火火不足則補火以配水若惡水之有餘伐水以救火見火之有餘去火以復水則水火俱傷而兩敗矣旁通之氣血陰陽亦猶是也

○久而增氣物化之常也氣增而久夭之由也

治療之旨貴中病而已過於補猶有盛滿之虞況過於攻乎中和者物化之常道也況寒熱之藥久用則增氣即偏勝也氣增者夭之由即夭折也故久服黄連而反

熱久投木香而反滯此氣增而偏勝之由也

○現在已有之虚不爲補救未来無影之邪妄肆祛除有是病者病受何傷無是病者正氣益困

書曰識得標只取本治千人無一損是補虚誠爲去病之要昧者不審邪之所湊其正必虚要知邪氣方張之日乃正氣益困之秱昧者徒知治病而不知治命有是病者當之無是病者則脾胃爲戰場玉石俱焚矣

○以有形無情之藥妄投無形有情之氣歘不受傷其可

得乎　夫有生之草木得五味之一偏本無情也無形之元氣爲有生之基本有情也凡有疾病本由虛召昧者不知借其氣取其味調之補之使無情生出有情從無而有乃妄肆祛除以速其禍乎

○脫症已備方議補之恐無受補之具矣匡之臨症心欲小胆欲大事貴先圖機要逆覩故曰治未病不治已病倘定見不真畏寒懼熱徒至陰亡陽脫方投補救則害生之疾病未能速除而資生之元氣已

先絶矣試觀症見假熱誤認以為真肆用寒凉攻逐無根外息真寒内生額汗肢冷脱勢備来方以参附亂投則孤陽力窮勢若絶弦挽之何及

○補者謂此中所少何物我即以此補之償其不足也補者乃填塞虚空之謂也然其中則有峻補調補滋補接補之别法豈宜一槩混投倘失於補法則又隔靴搔痒之譏過於補益則有氣增而夭之禍

○既知百病之来莫不乘虚而入則以正氣為本而以外邪為標

人身中陰平陽秘精神乃治病安從来此百病之所生本由虛召医者當以扶正補虛為本逐客祛邪為標方是医中之豪傑也書曰識得標只取本治千人無一損者正謂此也

○治虛無速法亦無巧法如家貧年久室内空虛非旦夕間事也凡治虛極之法先則峻補次則大補繼而調補終而滋補故先峻後緩務在成功然虛症有二補陽之功速補陰之效遲書曰陽火易救陰水難求蓋陰虛之症津液凝結精血焦枯六脉浮数五内涸竭惟病家專心守一

医家定見不移廣求藥餌重用有情之品或從陽以生陰或資陰以化陽譬猶家貧守業朝干暮覓西斂東收寧添一斗莫添一口日增月積方可撑持非旦夕間之能克成也

○凡医為病之所困者惟陰虛難補久積難除蓋陰虛必内熱薫烝偏用陰藥以救水則胃弱而食減脱勢漸来偏用陽藥以補土則陽盛而陰消焚爍益熾誠為懼熱畏寒之兩難也積塊之病必氣短食減若以逐散為事則倦怠難堪恐元氣先壞於疾病若以滋補

為能則積塊益甚恐畏粟以資盜粮此補則滯攻則虛之無措也故古人有王山自倒養虎遺患之嘆正謂此也

○脉寔症寔攻邪以治標脉虛症虛補正以治本

寔則瀉虛則補医之常道也然脉乃氣血之波瀾人豈背飲上池之水症多虛寔之假象誰能無多岐之羊余自家有一圈活法每用無疑其要宜先觀其氣稟強弱或老少異軀或貴賤異境與產後病後次察六脉無神無力者雖有雜症蜂起率以補虛救本為要反此則從

寔治免受其殃盡觀夫立齋曰凡元氣虛弱而發熱者皆内真寒而外假熱也又曰當以中氣為主外症為客無足憑又曰當察元氣為主而後求疾病此皆以元氣為分針而悉詳其虛寔矣

○補而不效者多寔攻而不效者多虛　寔能受寒虛能受熱此寔則攻虛則補矣故補而不效者寔不受熱此寔症也攻而不效者虛不受寒此虛症也

○寧以不足之法治有餘則可以有餘之法治不足則不可

夫虚症多假象寔症有羸狀誤補益疾虚症有盛候反瀉含冤益疾猶能補救含冤斷不復續故先哲有曰寧失於温補不寧失於寒凉之嚴訓司命者當寒心焉

○辨症合宜雖大寒大熱俱能益人

医者心欲小胆欲大臨症處方則定見不移執持不亂遇大寔非峻用寒凉不足以蕩邪見大虚非廣行温補不足以奪命宜乎用得其當大攻大補俱能益人矣

○凡診疾病當先察元氣為主而後求疾病

百病無不由於虚召故治病當顧本求源以元氣為主次可旁及支離安其正化其邪還其原勝其舊也

○今之医只知有形邪氣不知無形元氣夫有形者迹也盛衰昭著體認非難無形者神也變幻倏忽挽回非易医者見病則治病而不知治命夫有形之疾病自可緩圖無形之元氣所當急固盖元氣忽去勢若絶絃每見臨虚症則以疾病盡除而後議補至補莿脱勢備来已無受補之之具矣

○要知諸病不能出乎真陰真陽之外而人之求生者不

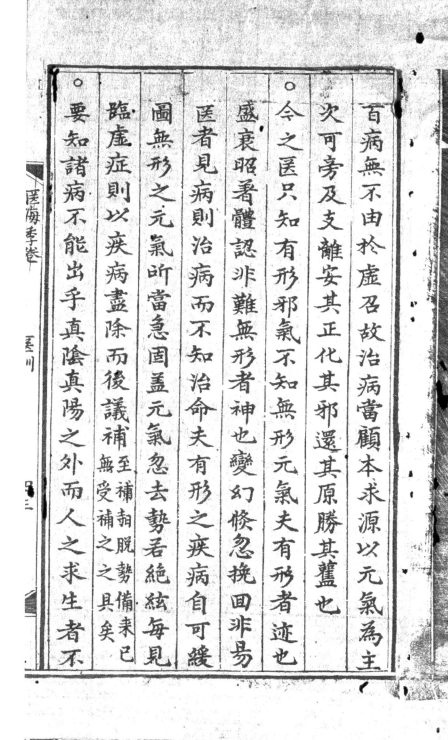

能外乎真陰真陽之中真陰真陽者諸危病之要領求生之根本也　陰陽者虛名也水火者寔體也陰陽爲體水火爲用腎中真陰真陽即真水真火也爲有生之本爲立命之根書曰遇症之虛亟保北方以培生命故曰医家不窮無形水火之妙用不知重用六味八味之神丹其於医理尚欠太半矣

○医者定見不移病家專心守一方可成功

凡塡損補虛之法譬猶家貧創業非旦夕間事難能責

效於目前要在医者堅如金石免南軒北轍之識病家
信若鬼神勿暮李朝張之態期以歲月方能成功
○殊不知病之與命孰為輕重正之與邪孰為緩急
昧者只知治病而不知治命蓋有形之疾病自可緩圖
無形之元氣所當急固此輕重緩急自已懸絕不待言也
○方者體也法者用也徒知體而不知用者弊體用不失
可謂上工　夫方者做也做此病而立此方不變之
一體也法者治也有此症則有此法無窮之妙用也粗

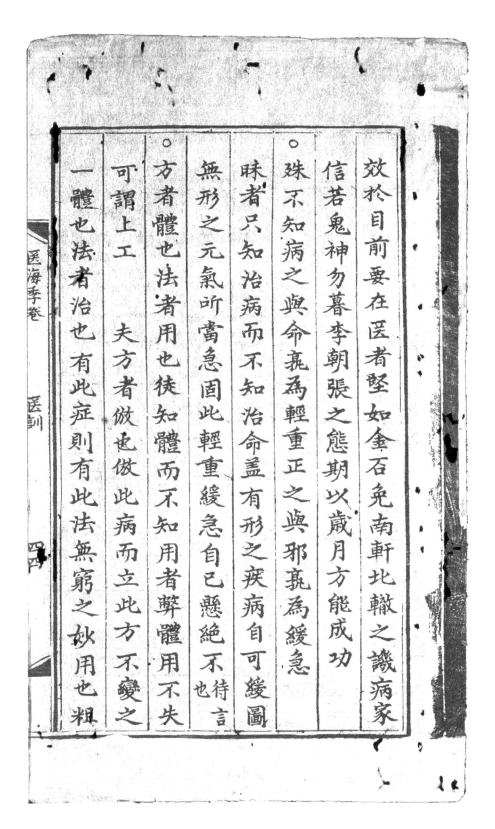

者徒守成方不知活法得體而失用若上工者方為間架法以應變體用兼行無膠柱於一定也

○萬姓之面目雖殊其臟腑陰陽則一百病之名目雖異總不外乎氣血之中難越乎陰陽一理

馮先生曰以治一病之法可旁通以治夫百病治百病之法究竟根本猶治夫一病蓋天下之人惟此氣血惟此臟腑惟此陰陽耳莫能異焉散之則萬殊會之則歸一理經曰知其要者一言而終不知其要者流散無窮正謂此也

○古人用藥一闔一闢不失疏泄閉藏之至意也
盖天地之理一闔一闢陽闢則陰闔春夏發生則秋冬
閉藏不闢則不能闔不闔則不能開此盈虛消長升降
浮沈為造化之一體一用也故古人用必開闔於陰陽
之至理如八味之澤左四君之茯苓歸脾之木香四物
之川芎溯源之燈心養榮之陳皮五味補中之升麻柴
胡皆本此理也盖非瀉不能補也
○脉現臟腑之真情症多疑似之假象

（此頁據中國國家圖書館藏本配補）

夫脉乃天真委和之氣乃陰陽之合德爲氣血之根源
症乃病之標現假能約真書曰医能取脉病無遁情

季卷終

洞姥關領徵員助銀壹元　洞姥甫廖文山助戊三貫
洞姥社首該總枝世珠助戔十貫　百户馮登富助五貫
清客陳紹助三貫　清客林有貴助二貫
浮雲鑛長陳光和助五貫　諒山省卒豫黃文茂助二貫
大眷協和公司助五貫　右門衛桃氏達助三貫

（此頁據中國國家圖書館藏本配補）

R.1122

新鐫海上醫宗心領全帙卷之六

小引

或問余之治療每以氣血藥諸品畧投之一二劑或速應或遲驗輒投以六味八味而立起沉痾若然則世人皆水火虛而致病乎余曰經曰百病之来本由虛召又曰百病損虛窮必及腎又曰初病當分內外久病總致一虛又曰治百病之法究竟根本猶治夫一病且曰知其要者一言而終余所診治經斛久矣知古方之神良無如

六味八味寔衛生之仙品保命之神丹倘能深悟肯意觸類旁通則愈出愈奇何施不可以之逐邪則補水而發汗以之消痰則蒸腐而健運驅風必生血而風減散寒能益火而消陰清暑則納氣藏源除湿則邪水峻伐純陽單滋天癸以救其無陰経血病益真水以滋其枯閉胎前可固繫胞産後能滋精血風癆臟腑亦可挽回況重重小癥何難頓解要在用者何如此又其一說也余臨症或用全方而分兩差減或單用一二味或三四味

或攻補兼行至十三十四味緣因病處方大要氣味相須方能同隊余嘗領會曰有熟地可以壯水有桂附可益火補真陰真陽之能事畢矣至於佐使之多寡特兼用耳此等辯說雖已歷述於集中肰難窮者意難尽者言乃編集先哲方論凡有關於水火家之功用者湊成一集顏曰玄牝發微願有志於道者潛心默測博海求源則法自我出方自我立正謂聖書可讀聖方可法何患乎難窮之意難尽之言者耶

黎氏別號海上懶翁引

玄牝發微卷　目錄

右該三十六目　目録終

玄牝發微卷

海上懶翁蔡氏纂輯
後學唐鄧武春軒奉較

先天太極圖說

無極圖

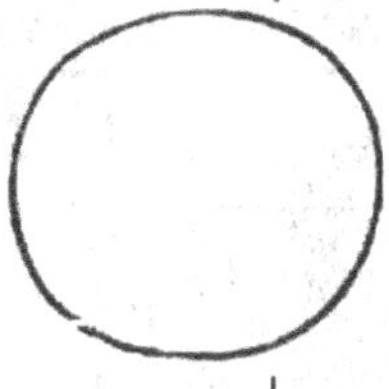

太極陰陽圖

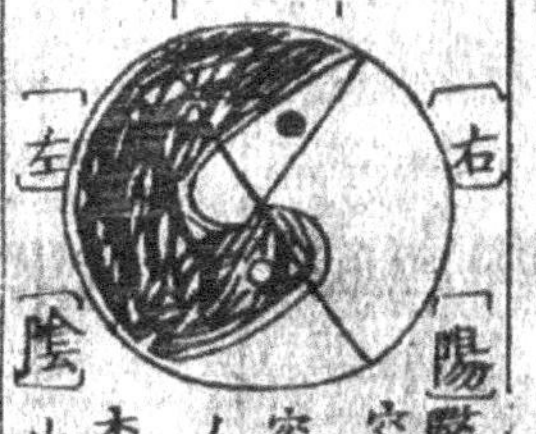

醫家能深究太極形容則悟得人身中太極之至理也

易有太極是生兩儀周子惧人之不明而製為太極圖

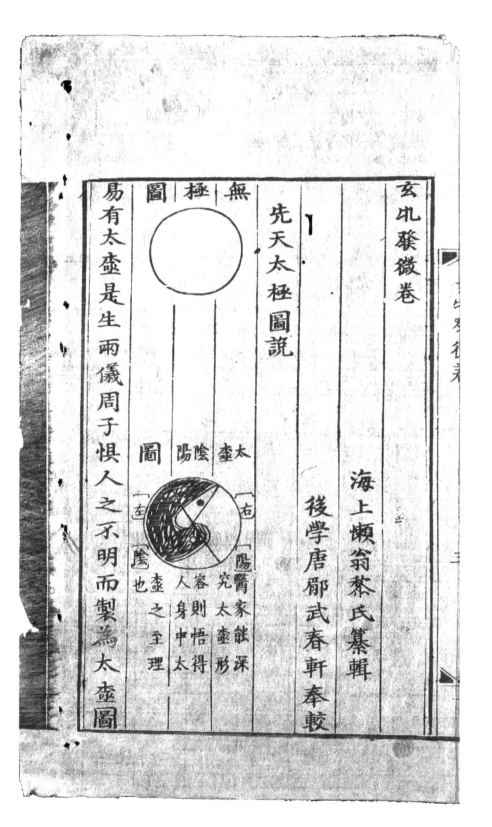

無壺而太壺無壺者未分之太極也太極者已分之陰陽也一中分太極中字之象形卽太極之象形也一卽伏羲之奇一而圈之卽是無極旣曰先天太極天尚未生本屬無形何爲伏羲畫一奇周子畫一圈又涉形迹耶曰此不得已而開示後學之意也人受天地之中以生亦具有太極之形在人身之中可不究心乎醫貫曰按古銅因圖畫一形像而人身太壺之妙宛肰可見

人身中太極圖說

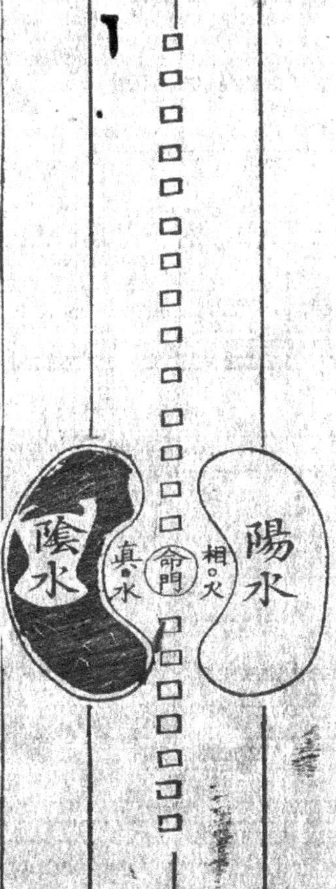

兩腎在人合成一太極圖兩腎俱屬水左為陰水右為陽水以右為命門非也命門在兩腎之中易曰天一生水是也命門左邊有小黑圈是真水之穴右邊有小白圈是相火之穴此一水一火俱屬無形日夜潛行不息

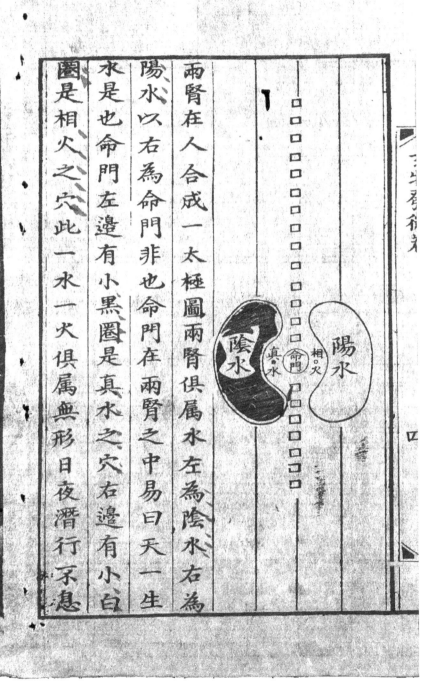

命門在人身之中對臍附脊骨自上數下十四椎自下數上七椎經曰七節之傍中有小心左邊一腎屬陰水右邊一腎屬陽水各開一寸五分中間是命門所居之宮即太極圖中之白圈也（元陽龍火命火真陽皆命門之別名）無形之火也而有情有神誠真陽之宗元氣之本以命名之者命處乎中兩腎左右開闔如門一陽居二陰之間所以成乎坎靜而闔所以涵養乎一陰之真水動而開所以鼓動乎龍雷之相火兩腎（之用生生）不盡上奉於心無窮者惟

此真陰真陽一氣而已趙氏以命門為真君主譬之朝廷皇極殿心是王者向明出治之所也乾清宮腎是王者向晦宴息之所也指皇極殿而即謂之君身可乎故曰主不明則十二官危矣如此則心非君矣內經無命門之名命門始於越人三十六難而曰腎有兩左為腎右為命門男子藏精女子繫胞夫右腎既藏男子之精則左腎將藏何物女子之胞何獨偏繫於右耶蓋命門居兩腎之中而不偏於右即婦人子宮之門戶

也子宮者腎臟藏精之府當開元氣海之間男精女血皆聚于此為先天真一之氣所謂腎中之真陽為一身生化之源兩腎屬水有陰陽之分命門屬火在二陰之中不偏於右矣

五臟之真惟腎為根褚齊賢曰人之所生受胎始於仁之兆惟命門先具而後五臟成可見命門為十二經之主故養身者治病者的以命門為君主而加意於火之一字夫既曰立命之門火乃人身之至寶何後世之養

生者不知保養節慾而日夜戕賊此火火既病矣治病者不知温養此火而日用寒凉直滅此火安望其有生氣耶夫命門君主之火乃水中之火相依而永不相離也火之有餘緣真水之不足也毫不敢去火須補水以配火壯水之主以鎮陽光火之不足因見水之有餘也亦不必瀉水就於水中補火益火之源以消陰翳所謂源與主者皆屬先天無形之妙非曰心為火而其源在肝腎為水而其主屬肺蓋心脾腎肝肺皆屬後天有形之物

須以無形之火配無形之水真探其君主之穴宅而求之是謂同氣相求斯易以入之理也所謂知其要者一言而終也若夫風寒暑湿燥火之入於人身此客氣也倘主氣固則客氣不能入今之談醫者徒知客者除之慢不加意於主氣何哉縱言固主氣者專以脾胃為一身之主安知艮土是離火之所生坤土又坎水之所生耶

懶按凡龍火亢騰亦能焚焦草木故症見上焦煩熱喉乾咽痛顴紅眼赤之類與水衰火炎無分別矣惟有口

乾為左卧乾與湯異郎宜八味以温腎引火下歸若悞認為真水衰甚火炎而投六味必致大变水衰必有浩欲由龍畏陰寒而亦此水之有餘滿則溢更補水則陽亡矣此聖藥中有隱微處愚屢卧而心得願公之以全衛生之至意余有論一條在格言篇宜參看

右白圈相火竅亦名真火名少火無形之氣稟於命門君火而行真水亦隨相火而行自寅至申行陽二十五度自酉至丑行陰二十五度日夜周流於五臟六腑之間滯則病息則死男女交媾之辰先有火會而後精聚故曰火在水之先三焦相火是其臣使

之官（三焦亦名相火）禀命於相火（即白圈又曰白圈乃三焦之竅火也）而行周流百髓以命門如天君無為而治相火循宰相代天行化此先天無形之火與後天有形之火不同也（心火五臟六志之火）凡縱情恣欲致相火衰則腎中陰寒（由真陰勝）龍火無藏形之地而浮越於上宜八味以溫其窟宅使龍火下降左黒圈真水竅亦名真陰名元陰亦無形也上行夾脊至腦中為髓海泌其津液注之於脉以榮血衛氣內注五臟六腑以應刻数亦隨相火潛行人身與兩腎所主後天有形之水不同

有此真陰以培養相火若無此水則命門真陽元氣亦衰矣凡真水與相火要均平不宜偏勝所謂陽根於陰陰根於陽若真水衰則相火獨炎故曰少火變為壯火而蝕氣浮遊于三焦宜六味以壯水制火

陽水

右腎為陽水有形水也可瀉在人身中合成太極之半右白為後天中之先天也

陰水

左腎為陰水有形水也可瀉在人身中合成太極之半左黑為後天中之先天也

坤八　兑二　乾一　附易家先天河圖以探明天一生水之理

先天論

離三　坎六

巽五　震四　艮七

腎爲臟腑之本十二脉之根呼吸之主三焦之源而人身資之以始也故曰腎爲先天之根本

夫玄黄未兆天一之水先生故乾數一胚胎未成兩腎之元卽命門也先玄蓋嬰兒未成先結胞胎其象中空一莖直起形如蓮蘂一莖卽臍帶也蓮蘂卽兩腎也而氤氲一點元陽之爲命者寓於二水之中焉此一陽二陰以成坎位乎北方也水

生木而後肝成木生火而後心成火生土而後脾成土生金而後肺成一玄有命門肰後生心心生血有心肰後有肺肺生皮毛有脾肰後有腎腎生骨髓五臟既成六腑隨之四肢乃具百骸乃全儒經云如何是玄牝玄曰黑也牝曰陰也嬰兒初生先生兩腎而一點元陽居乎兩腎之間是爲命門人身即元陰元陽所謂先天之元氣命門爲受生之竅水火之家即先天之北闕也人之所生受胎始於仁之兆命門之一點先具而後有腎與命門合二數備足以腎有兩枚而命門居中是也人非此火無以運行乎三焦腐熟乎水穀經曰少火生氣儒經曰兩腎中間一點明逆閒也爲丹母順爲人導引家服氣引至丹田道成則命火成一塊如珠入火不焚爇爲

冊毋常人則交合施泄而成胎故曰順大凡男女交媾之辰先有火會而後精聚故曰火在水之先人生先生命門火世謂父精毋血非也男女俱以火為先焉但男子陽中有陰以火為主女子陰中有陽以精為主謂之陰精陽氣則可男女合此二氣交聚然後成形形成俱屬後天矣後天百骸俱備若無一點先天火氣盡屬死灰矣夫龍命火潛海底腎宮也潛為火火動為壯火龍起而火隨之元陽藏于坎府腎運用應乎離宮心此人生之命根也乃知陽火心之根本乎地下

腎

陰火（水中火）之源本乎天上（心）故曰水出高源又曰火在水中古之聖神察腎爲先天根本故其論脉曰人之有尺猶樹之有根枝葉雖枯槁根本將自生傷寒危篤寸口難替猶診太谿以卜腎氣夫精也者水之芷也神倚之如魚得水氣依之如霧覆淵神必依物方有附麗精竭神散勢之自然若其爲嬰孩也未知牝牡之合而勃然峻作精之至也繼繼丞丞各發無方溟溟清清合發無偏年十六而眞精滿始能生子精泄之後乾三破

為離☲（此精散而中虛）女子懷胎坤☷化為坎☵（此核子為中滿）真體已虧不知濇節則百脈空虛不危何待

乾轉離圖

乾☰　右繞陽　天一生水　左繞陽

命門　先天

此坎☵　右旋而兌☱水入離屬陰火為真君主居其位也凡有事則相火代行乎將火三焦火以運用

天陽為☵　左旋而坎☵水出坎屬陽

離☲　乾化為離後天心也

陽火君火也無為居乎上而主靜相火者則居乎下而主動也

說

先天命門之火居乎腎水此乃無形之火水之府生譬之土蒸而潤釜炊而汗水之生於火也如此若有形之火水來克也夫火生於水亦遠藏於水其藏

於水者其象在坎一陽陷于二陰之中蓋命門真陽也而腎位守兩傍爲其生守水者其象在乾純陽立于離卦之先左旋而坎水出焉右旋而兑水納焉蓋水腎也而陰陽之水則分而寄之矣此所謂後天中之先天也陽心火生陰命火寄運於三焦水升火降所謂既濟

心腎相通論

諸臟魂魄意智皆爲神明惟心腎猶一家之主水火互爲其根心屬離離爲陰一陰居二陽心内藏赤液是真陰也腎屬坎坎爲陽一陽居二陰腎中藏

白膜是真陽也腎水奉上心火下交為既濟故運用於
上（腎也）傳注於下（心也）此謂勞其心也諸腑塊然無知惟脾
胃猶一家之奴婢溲便糟粕傳送啟閉此謂勞其力也
然勞其力非謂勞其力也但勞其形骸而不勞其神氣
重濁象地濁陰養之故多無病病而易治若勞心者所
耗皆其精華輕清象天多動少靜七情為害尤多陰精
上奉寔少故易多病病而難治何者神明之用無方無
體寔為難言然樞機萬物神思百出非心之用乎則日

思之累又甚於慾以其勞心過極併及於腎腎藏志也
所以有無子責心白髮責腎之語以其陰精水也上耗為心
血耗上離心陰既耗乎上坎腎水豈能獨克守下哉一云神共
氣對言則神為無形又經云血生精精生氣氣生神故道家以精氣神為三寶又如神氣共精血對言則神氣
為陽精血為陰又如血共精對言則曰陰血曰陽精此曰陰精蓋謂精乃心血所生本為陰家之物故曰陰精
上耗者心之血既耗於上何以為輸歸于下焦之腎乎醫者可不防微杜漸加意
於心腎二家則自無病倘病矣則易治治膏粱者治藏
治藤藿者治腑而於心腎更為珍重則無不愈蓋臟者

藏也陰也宜藏不宜見經曰陰者真臟也見則為敗敗則死矣又曰五臟藏精氣而不泄也六腑傳化物而不藏也故臟無瀉法而貴臟賤腑之論所由發也至於腎者尤為主蟄封藏之本精之處也有虛無實更無瀉之之理然損精傷腎非止一端腎司閉藏肝主疏泄二臟皆有相火而其系皆上屬于心心君火也怒傷肝而相火動則疏泄者用事而閉藏者不得其職雖不交合精已暗耗矣是故貴息怒夫五臟皆有相火惟相火之寄

於肝者善則發生惡則爲害獨甚於他火其陰器統宗筋之所聚乃彊於作用御女皆相火亢其力也若遇接内得陰氣與合則三焦上下内外之火翕然而下百體玄府悉開其滋生之精盡會於陰器而躍出之豈只腎所藏者而已哉有年老而彊健者蓋石韞玉而山輝水含珠而川媚此足精無病之足證也

榮衛清濁水火升降圖說

衛屬氣氣本輕清榮屬血血本重濁陽屬火火性炎上陰屬水水性潤下如何反得

荣為清衛為濁水能升火能降者味此全圖亦能窮究陰陽之至理　心離☲天之濁降也心升降之所　腎坎☵地氣上為雲天氣下為雨雨出地氣雲出天氣此之謂也　清者體之上也陽也火也離中之一陰降故午後一陰生即心之生血也故曰清氣為荣蓋天之清氣一不降天之濁氣能降為六陰駒而使之下也　云清氣者　總離之体　而言之也　濁者體之下也陰也水也坎中之一陽升故子後一陽生即腎之生氣也故曰濁氣為衛蓋地之濁氣不升地之清氣能升為六陽舉而使之上也　云濁氣者　總坎之体而言之也

肝腎同治論與補瀉法古稱乙癸同源肝腎同治其說

維何蓋火有君相君火居乎上而主靜相火居乎下而主動君火維一心主是也相火有二腎與肝也腎應北方壬癸水於卦爲坎於象爲龍龍潛海底（腎水）龍起而雷火隨之肝應東方甲乙木於卦爲震於象爲雷（火）雷藏澤中（坎）雷起而龍火隨之澤也海也莫非水也莫非下也故曰乙癸同源東方之木無虛不可補補腎即所以補肝北方之水無實不可瀉瀉肝即所以瀉腎至於春升龍不見則雷無聲及其秋降雷未收則龍不藏但使

龍潛海底則無迅發之雷，雷藏澤中則無飛騰之龍日竜雷火是也故曰肝腎同治又肝不可補東方天地之春也勾萌甲柝氣滿乾坤在人為怒怒則氣上而居七情之升在天為風風則氣鼓而為百病之長怒而補之將逆而有壅絕之憂風而補之將滿而有脹悶之患矣又腎不可瀉北方天地之冬也草黃木落六宇蕭條在人為恐恐則氣下而居七情之降在天為寒寒則氣慘而為萬物之衰恐而瀉之將怯而有顛僕之虞寒而瀉之將空而有涸竭之害矣又肝亦可補法木既無虛而又言補之者肝氣不可犯而肝血所當養也木不足者濡之腎水之屬也壯水之源木賴以榮矣又腎亦可瀉法水既無實而又言瀉之者腎陰真水精血不可虧而腎氣不可亢也氣即火少火變為壯火挾肝火妄行三焦宜平肝以暫抑其炎亢之勢氣有餘者平之肝木之屬也伐木之幹水賴以安矣總而言之一補一瀉氣血攸分即補即瀉水木同源要之相火易上身中所苦瀉木所以降氣補水所以制火氣即火火即氣同物

而異名也故知氣有餘便是火者愈知乙癸同源之義又肝不可平東方木也萬物所以始生也四辰之所化始於木於辰爲春春屬肝木觀女子受胎一月足厥陰肝經養之肝者春陽發動之始萬物化生之源也故戒怒養陽使先天之氣相生於無窮此氣不竟則四臟何所稟承如春無所生則夏長秋收冬藏將何物乎又五行之中惟木有暢榮發茂之象使天地而無木則世界暗淡無色矣夫培之養之猶恐不暇況殺剪之伐之乎故養血和肝使火不上炎則心氣和平而百骸皆理況

腎主閉藏肝主疎泄是一開一闔也叚醫多執肝常有餘之説舉手便云平肝又云肝有瀉無補不知六味地黄丸七寶美髯丹皆補肝之劑也

相火龍雷論

乙癸同源故稱龍雷其巢穴在命門亦名少火少者小也水中火也陰火也伏火也逢水益熾腎屬坎象為龍肝屬震象為雷龍起雷隨則用於震雷藏澤中則主於坎故腎中一點真陽稱為龍雷之火而其藏於腎其用於肝夫火有人火有相火人火者所謂燎

原之火也遇草而爇得木而燔可以濕伏可以水滅可以直折如黃連之屬可以制之相火者龍火也得濕則焰遇水則熾每當濃雲驟雨之辰火焰愈熾可見霹靂之火焚燒草木以水沃之益熾惟以火發之即絶可尉也木石可碎勢不可抗若拂其性而以知柏治之不知此相火者寄於肝腎之間乃水中之火龍雷之火也倘用苦寒適足以光焰燭天力窮方止矣識得其性者以火逐之則燔灼自消炎光撲滅矣經曰太陽一照火自消滅此得水則熾得火則滅之尉

也古人瀉火之法意蓋如此○龍雷何以五六月而啟發九十月而歸藏蓋冬辰陽氣在水土之下龍雷就其火氣而居其下夏辰陰氣在下龍雷不能安其身畏寒而出於上明於此義故惟八味丸桂附與火同氣直入腎中據其窟宅而招之同氣相求安得不引之以歸源矣人非此火不能有生世人皆曰降火而趙氏獨以地黃滋養水中之火世人皆曰伐火而趙氏獨以桂附溫補天真之火

君火相火辯

馮先生以心為有形君火命門為無形相

火肝三焦三焦稱為火者以其稟命於相火竅亦為有形相火景岳以心為無形君火命門為有形相火其論則曰君火衰則相火亦敗此無形病及有形也蓋証之経曰君火以明相火以位一說蓋君道惟神其用在虛相道惟力其用在實明即位之神無明則蘊蓄無由以著位即明之本無位則光焰何從以生即以心知將來覺悟聽明為真君火腎藏已往不過為神明閉藏之職耳自愚觀之有形之火不可縱恣無形之火不可滅殘可補心乎可伐腎乎

以桂附而補火補心乎補腎乎以黄連而瀉火瀉心乎瀉腎乎經義昭明以理自見何為涉海乎

先天後天火不同辯

人生於寅寅者火也火陽之體也造化以陽為生之根人生以火為命之門故養生莫先於養火也天開於子而陽生焉是子為陽之本而為先天人生於寅而火先焉是寅為火之母而為後天火者生之本也陽者火之用也故曰天非此火則不能化生萬物人非此火則不能有生

儒者曰天開於子水為元醫者曰人生於腎水為先亮知子為陽初腎為火臟一陽陷于二陰之中而命門立焉蓋火也而腎水寄之耳矣

隂生於陽故火與水為對名而火不與水為對體其與水為對者後天之火離火也其不與水為對者先天之火乾火也蓋乾陽之純陽火之主水之源也故五運之分五行各職其一惟火獨言君相而他則不及蓋兩間生氣總曰元氣元氣惟陽為主曰火而已

水火相須辯

水火者生身之本神明之用也水為火之源火為水之主原不相離故曰水火宜平不宜偏宜交不宜分火性炎上故宜使之下水性潤下故宜使之上

水上火下名之曰交火即陽氣水即陰精二物配匹名曰陰陽和平亦名少火生氣平則水火既濟火即為真陽之氣及其偏也則陽氣激而為火也水與元氣不兩立而成乖否之象然水中無火其寒必極寒極則亡陽倘不善調變縱情恣慾乃至陰虧水竭則火偏勝所謂陰不足則陽必湊之要補真陰然人性稟不同陽盛人補陰固宜陰盛人補陽尤要況陰從陽長單滋陰分徒傷胃氣反絕後天生化之源世人常重養陰每謂人之

一身水一（腎）而已，火則二（君相），爲陽常有餘，陰常不足。自少至老，所生病疾癆，不由於真陰不足。又丹溪云一水不能勝五火（五藏皆有相火。經曰：陽道實，陰道虛，此天地之大數，証據人身而妄謂陽有餘陰不足，一水不制五火，非也），故諸病必發熱。又曰：天包乎地，陽統乎陰，故補陰之品不可間斷，其補陽之藥勸戒諄諄。殊不知純陰之藥僅能肅殺閉藏之氣，何有陽和化育之功夫？火有餘者，邪火也。若真火，護衛形骸，灌溉臟腑，得之則生，失之則死，衰之則病，則真陽豈能有餘？水不足者，惟

男八八女七七惟此真陰常有不足也若水與火爲一身互用何常不足尙失於調攝則精血枯竭潮熱羸弱而爲真水不足心火獨炎之病耳

滋陰降火論

王節齋曰人之一身陰常不足陽常有餘況縱慾者多節慾者少精血既虧相火必旺火旺必陰愈消而癆瘵咳嗽咯血吐血等症作矣故宜常補真陰使陰與陽齊則水能制火而水升火降則無病矣故丹溪先生發明補腎之說謂專補左尺腎水也古方滋補

藥皆兼補右尺相火不知左尺原虛右尺原旺若左尺右尺平補依舊火勝於水又補其左制其右庶得水火相平也右尺相火固不衰若果相火衰者方用補但世之人火旺致病者十之八九火衰成病者百無一二且少年腎水正壯似不必補然慾心正熾妄用太過至於中年慾心雖減然少年斵喪既多安得復寔及至老年真元漸絕只有孤陽故補陰之藥自少至老不可缺也節齋先生發明先聖之旨以正千載之訛其功盛矣哉但水

衰者固多火衰者亦不少先天禀賦若薄童子尚有火衰之症其可獨補水哉況補陰丸以知母黃栢爲君天門麥門爲佐蓋黃栢苦寒泄水天門寒冷損胃服之者不能補水而且有損於火故滋陰降火者乃謂滋其陰則火自降當串講不必降火矣然二火各有陰陽水火互相生化當於二藏中各分陰陽虛實求其所屬而平之若左尺脈虛弱而細數者是左尺腎之真陰不足也宜六味丸右尺脈遲軟或沉細而數欲絕者是命門相

火之不足也宜八味凡至於兩尺微弱是陰陽俱虛宜十補凡此皆滋其先天之化源寔萬世無窮之利也目世之補陰者率用知母黃栢反戕胃氣多致不起不能無遺憾於世余特表而出以廣前人之未備於醫者病者加意於六味八味焉或者曰大抵水者血之母水虛甚則補水水虛少則補血治法不外乎此莫非水乃先天之陰血乃後天之陰此血亦水也不必深辯何以言之蓋考之方書曰先天水衰火炎又曰後天陰虛火動

乃通言滋陰降火補水制火其形症混而不分無以剖判惟憑以脉法而分治之乃可耳如六脉浮洪兩尺有力左關寸無神或浮大乃後天陰虛心肝血虛宜十補之類左尺無力乃先天水衰宜六味之類

水火神丹論

按六味八味世人皆謂腎家正藥而余獨以之兼治何也夫人之初生先生兩腎腎中一點真陽卽身中一太極也為立命之本十二経之根五臟之源凡心之神明肺之治節肝胆之決斷脾胃之運化大小

之傳送皆賴命門一點動氣而後各勤其職醫貫譬之鰲山燈影者拜者行者舞者全仗此火也火旺則行速微則行遲火熄則萬機自息故書云百病皆根於腎又云五臟之傷窮必及腎又云小病由於氣血之所偏大病由於水火之爲害又云填寔空虛者氣血也化生氣血者水火也以此觀之百病之來本由虛召而虛之來本於腎也經曰遇症之虛亟保此方以培生命故治久病大病當加意於腎又經言知其要者一言而終真陰真陽

誠爲百病之要領也先師曰以治一病之法旁通可以治夫百病治百病之法究竟根本猶治夫一病蓋萬姓之面目雖殊其臟腑陰陽則一百病之名目雖異不外乎氣血虛寔之中余臨症二十年来閱驗已久所得愈多凡能立起沉痾處惟憑陰陽二竅水火二方之妙用而能重用六味八味異衆獨立也書云醫家不悟太極之真體不究無形水火之妙用而不能重用六味八味者其於醫事尚欠太半太半者伐之之辭耳以余觀之

醫徒知氣血爲事填虛補損區區於四物四君絕不知水火之家在何處畏熟地之滯肉桂之熱大附之悍而不敢肆行大用者此皆庸劣之輩不可以言醫也

先天真水寔虛脉形症治法

真水真陰即左黑囊無形之水也

寔 脉則左尺有力勝於右尺 形則肥白滯泥 症則邪水泛溢經絡爲腫痛泄瀉痲痺痿痢瘡毒此水盛火衰諸症起宜上下分消。

虛 脉則六部全浮或洪大無力與左尺虛弱無力或

虛而細數無力不若右尺之積盛【形】則虛肥色白嫩面如塗脂或頰色帶紅外似有餘或暗黑而慘瘦皮膚枯槁身體羸弱精枯血竭膚如甲錯唇齒乾燥鬚髮短黃眼睛多白性急多怒頻飲水小便數大便常燥

【症】則潮熱陰分熱骨蒸或陰熱蒸蒸五心煩熱上焦多熱症水衰無以制火故火上升經曰易傷熱者真陰必耗又曰陰虛發熱蓋陰虛不能制火煩燥煩渴頭重頭痛頭目昏暈眼花兩顴紅頰車虛腫氣逆上沖乾嘔喉乾咽痛或喉中如梅核咯不出吞不

下胸中懊憹前骨痛腰痛虛浮泄瀉飲食不運多咳嗽痿涎白沫口乾舌胎血衄遺精小水黃澁短赤甚而淋濁好食熱物愛煖惡寒身寒多汗婦人經閉血少凡水衰則火盛而諸症起

治法　先天之陰虛補腎水也地黃麥味之輩切忌滲利蓋真水衰相火妄炎乃水不能制火故虛火得以妄行經曰水之不足因見火之有餘又曰陰虛則陽乘之又曰寒之不寒責其無水此以寒藥治熱病而熱不退也又曰諸寒之而熱者取之陰此以寒藥治熱病而熱不除非火有

餘乃陰不足陰不足則火亢當取之陰但補陰則陽自退所謂求其屬也書曰陰虛不能斂陽宜養陰以退陽又曰大抵水衰火動之症皆由恣情縱欲斷損真陰陽無所附因而發越上升此火空則發之義久則孤陽不能獨旺無根之火豈能長明此所謂壯火蝕氣氣虛而陽亢宜大為填補以禦其空虛炎上之勢故曰陰甚虛當補陰以配陽使陽從陰化宜六味丸壯水之主以鎮陽光火之有餘緣水之不足毫不敢去火只補水以配火所謂滋陰降火使水得力則火不妄行乃補水而火自降若虛中帶寒加炒知柏以暫抑

其亢炎若水甚虛加麥門五味以補水之源加牛膝以斂浮火若挾肝火焦裂加柴芍以平之

先天真火寔虛脉形症治法

真火真陽即右白竅無形之火也

寔　脉則兩尺均平六部有神

形則骨肉相稱筋彊骨勁聲韻悠揚顏色光黑

症則口渴或消渴咽痛夫火乃命門真陽之火爲生身立命之根火既亢寔則陰平陽秘精神乃治病安從来何須妄用藥餌

虛　脉則六脉微弱與右尺無力或遲軟或沉細而欲

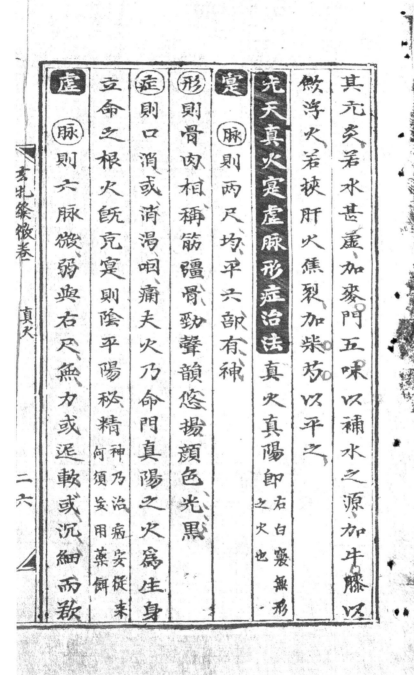

絶不若左尺之稍盛（形）則神氣不足皮色黯淡如煙或體瘦白色蒼白四肢倦怠髮鬚短黃皮聚毛落瞳神乾枯牙齒乾燥動搖性緩氣短言語輕微不耐一點風寒內怯生冷易脹易瀉晨瀉且多色欲真火虛肝火旺肝主疏泄故也（症）則蒸蒸火熱甚畏風寒經曰易感寒者真陽必虛故也腰以下冷或疼痿筋骨無力丹田不煖飲食不化或能食不饑泄瀉無度夢遺精滑眩暈自汗腰痛耳聾小便閉澁大率上多假熱下多真寒渴而不能飲或不

瀉皆爲顯症此火衰則水盛諸症作

治法 先天之陽虛補命門也桂附之品益眞火衰壯火妄行經曰壯火蝕氣氣弱而陽亦甚虛矣當補陽以生陰使陰從陽長又曰熱之不熱責其無火此以熱藥治寒而寒不除責其無火又曰諸熱之而寒者取之陽此熱藥治寒而寒不退非寒有餘乃陽不足則陽氣虛故當取之陽但補水中之火則陰自消所謂求其屬者一水一火皆于腎中求之宜八味丸益火之源以消陰翳火之不足因見水之有餘故不必瀉水就于水中補火若命門火虛虛火妄熾由眞水亦虛也症見上寒下虛如

上煩渴面赤下滑泄逆冷之類亦宜八味凡或問前此真水衰雷火炎此則真火虛虛火熾假熱同一症也而一用六味以壯水制火一用八味以補火引火用方各異何也曰此乃火中求水水中求火之法也

先天虛症治療大旨

附壯火少火第火民火解

愚按少火非火乃丹田生生真元之陽氣一呼一吸賴以有生薰腐水穀化生精華得其平則安其位萬象泰然曰少火生氣失其平則離其位曰壯火蝕氣挾肝相火爲龍雷火挾三焦相

火及胞絡與五志（喜怒憂思恐）五臟諸火（先師馮氏以三焦為兄火後天為弟火弟即兄也醫貫以三焦為民火醫學以膀胱為民火一云心君火失明則肝腎相火侮弄合與三焦起為壯火）浮游乎三焦薰蒸臟腑炮熾乎臟肉而為病或舌焦唇裂煩渴譫妄顛紅眼赤或氣逆乾嘔或痰溢似喘非喘或心煩咽痛體似乾柴臘如火烙誰不曰寔熱症也然惡其熱而欲絕其火是猶滅氣也要必細看或渴而不欲飲或好溫水雖熱而久按則涼或身熱而膝下冷只要憑從元氣為本若其人本虛而有熱症皆為假熱其

治者倘有疑似，或以冷水試之，寔熱則欣然冷飲，假熱則格拒不壞。或以熱寒冷飲，或投以六味、八味而少加知栢黑炒，以暫抑其亢炎。見熱勞已稍退，即去之。大抵因所因而調之、安之、從之、撫之，以平為期，則火不去而病自却，元氣無傷矣。至如虛人感冒發熱，雖係外來之邪，然初感亦違而抑之，不使外火打動內火，新邪喚出舊邪。若久亦從虛治。

捫熱法 凡內傷真陰真陽虛者，以手捫熱之法有二：捫之烙手，骨中如燭炙者，腎中之真陰虛也；捫之烙手，按之筋骨之中反覺寒者骨中之真陽虛也又法輕手捫之則熱重手捫之則不熱是熱在皮膚血脉若重按筋骨之間則熱蒸手輕輕不熱是熱在骨髓也如輕手捫之則不熱重手捫之亦不熱不重不輕捫之而熱者是熱在筋骨之上皮毛血脉之下乃熱在肌肉間是內傷勞倦之熱也

先天水火真藥　八味丸

昔漢武帝求神仙久服丹砂發熱消渴引歛張長沙製此方治之而安

熟地　氣薄而寒味厚而甘陰中之陽八月

懷山　氣味甘平四月

山茱　氣平而温味酸而澁四月

丹皮　氣寒味辛陰中微陽三月

白茯苓三两　澤瀉　肉桂一两　附子一两　炮製蜜丸桐子大每服六七十丸空心滚塩湯下服畢少辰以美饍壓之

治症凡命門火衰相火不足不能生土以致脾胃虚寒虚羸氣少飲食不思大便不實臍腹疼痛夜多漩溺或脉耗而虚土弱水勝少火斷損或脉鼓按之有力或火虚痰盛丹溪曰久病陰火上升津液生痰不生血此藥以制相火其痰自消及諸陰盛格陽内真寒而外假熱等症所謂益火之源以消陰翳是也腎有兩枚皆屬水雖有左右之分而無水火之別仙經曰兩个一般無二様中間一点是真精夫精也者

明也即命門相火人無此火生化之源幾乎息矣向非附子之健悍將何以噓既耗之陽而消其陰翳者哉

精要曰久服令人必肥健而多子以見壯補精血之功也

仲景曰氣虛有痰補而逐之又曰水泛爲痰之聖藥易老曰治脉耗而虛西北金水二方之劑也金弱水勝水少火虧或脉鼓按之有力服之有效

八味功能

人生百病之最重莫大於風痨臌膈是藥久服真火固泛丹田虛風何自驟起中風之症無可慮矣甘溫能除大熱滋補精血易生骨蒸伏熱何地而容痨

症之成自難牢固真火既亢於下元氣自長於中健運如常中滿何生臌症之患竟無憂矣釜下有火堝飯自熟遊溢精氣水精四布燥澁膻膈何患之哉夫症既可消弭小病斷難沉固誠衛生之至寶立命之神丹張先生觀象於坎而知腎中一陽居二陰為坎具水火之道爲故用此以兼補水火丹澤苓藥從熟萸濡潤之品所以壯水之主桂附辛潤水中補火所以益火之源兼益脾胃而培萬物之母其利溥矣胃惡燥脾惡濕補陰藥

中多是濕藥惟此兩得矣○凡人生疾病未有不因陰陽失調水火偏勝故虛損者本由臟腑氣血內起之病治之者尤宜於陰陽水火條分縷析調之適之以平爲已八味一方如用兵之八陣立法周匝不能出其範圍也蓋一補一瀉則補勢得力其中變化神而明之難以言盡先哲有言曰醫家不悟先天太極之真體不究無形水火之妙用而不[能]重用六味八味之神劑者其於医道尚欠太半誠金玉之至言也

按百病之來莫不因火而火之發莫不由虛而虛之本莫不由腎蓋水爲萬物之源火爲萬物之父其源其父並根於腎也凡腎元充足者則萬象俱安而疾病無矣人之賴以有生者全仗陰陽水火爲用而腎乃陰陽水火之總根設若陰陽失調水火偏勝百病生焉而治法者救陰無如壯水補陽無如益火然腎爲水臟更爲火臟故救陰救陽者不求水之主火之源舍水火之臟棄六味八味則不得其門從何而入猶植樹而欲舍其根

者可望其發生耶惟脾胃驟虛且寒則溫補自從中治而有補中理中之說久則亦責之於腎更有八味加破固五味之說也其餘不論內外感傷眼目口齒胎產男婦百病凡屬陰虛陽虛及假陰假陽之症莫不華此爲聖藥夫真陰不足則孤陽無依迸火易於浮越故宜甘溫甜靜之劑以養之酸鹹斂納之味以藏之人但知氣有餘便是火不知火之有餘即是氣或爲喘滿煩渴有餘者病氣也病氣之有餘正氣之不足也凡飲食氣滯可以

行之利之順之之理若浮越之陽氣惟宜導之納之斂之塞之以補爲消此氣乃生身之本也非同飲食之滯也若用順導之藥適足以開走洩之端辛燥之藥反有以耗津液之患雖芎歸陳皮之辛潤亦能引動無根之氣升越失守之火上乘而爲患也故並宜戒之

八味方旨

此治相火不足虛羸少氣王冰所謂益火之源以消陰翳尺脉弱者宜之

按八味之中攻補兼施陰陽俱備蓋無陽則陰無以生此所以有桂附爲辛潤之物能於水中補火水火得其

養則腎氣復其天矣然主用之味在桂附即坎中之一陽畫也非此則不能成坎矣附爲三焦之藥而辛熱純陽通行諸經走而不守桂爲少陰之藥宣通血脈性亦竄發二者皆雜捷制必得六者純陰厚味潤下之品以爲之濟道而後能納之於九淵自無震蕩之虞今人不明此義直以桂附爲腎陽定藥離法定意而雜用之酷烈中上灼烟三陰爲禍不淺也或曰仲景治少陰腎傷寒用附者十之五非專爲保益腎陽耶然仲景爲寒邪直

中隂経非辛熱不能驅之而散出附為三焦命門辛熱之藥故用之以攻本經之寒邪意在通行不在補守故太隂之理中厥隂之烏梅以致太陽之乾姜芍藥甘草桂枝陽明之四逆無所不通未嘗專治腎経也惟八味丸為少隂主藥故亦名腎氣列於金匱不入傷寒論中正惟八味之附乃補腎也桂逢氣藥即為汗散逢血藥即為温行逢泄藥即為滲利與腎更疎節齋曰惟桂附在八味則能補腎在他藥則為宣通故曰當論方不當

論藥當就方以論藥不當執藥以論方此仲景以六味駕馭桂附以收固腎中之陽也無陰則陽無以化所以有地茱爲濡潤之品地補腎填精生血爲君茱酸歸肝腎主開藏而酸斂之性與之爲宜也一云茱温肝逐風濇精秘氣熹乃純靜之品補陰之聖藥又云熹逢氣藥則運用於上逢血藥則流走於經不能引其一線入腎也先天之真陰真陽既已並補更入苓藥以助脾胃使化源有自而爲後天生發之無窮苓能入脾滲脾中濕

熱而通腎交心其用率主通利助山藥之滯且色白屬金能培肺部又有子虛則補母之義藥味甘歸脾而補脾安水之仇故用為臣且清虛熱于肺又能濇精固腎丹皮以去陰分之伏熱更能瀉君相伏火凉血退熱伏火即陰火也世人多以黄栢治相火不知丹之功更倍丹者南方之火也牡而非牝屬陽故能入腎瀉陰火退無汗之骨蒸一云丹赤入肝其用主宣通以佐茱之澁藥澤瀉以瀉龍雷之邪火宿水更同茯苓之滲淡搬運

諸藥下趨此方主治化元取潤下之性補下治下而制之以急澤苓之滲瀉正所以急之使速達於下也腎陰失守燔燎於上嶽納之使歸於宅非借降瀉之勢不能收攝寧靜故用茯苓之淡泄以降陰中之陽用澤瀉之鹹瀉以降陽中之陰猶之補中益氣湯用柴胡以升陽中之陰用升麻以升陰中之陽也如謂用澤瀉亦只取其養臟起陰補虛之功然則凡有補腎之藥亦可與此方代用乎謂諸藥皆腎經不待接引而後至是則然也

若寇宗奭謂八味丸用澤瀉亦不過接引歸就腎經別無他意豈其然哉故參芪朮又豈必待升柴之提引而後至脾肺乎升降者天地之氣交知仲景之茯苓澤瀉則知東垣之升柴可與言立方之妙矣又曰八味用澤瀉有三一利小便以清相火二行熟地之滯引諸藥速就腎經三有補有瀉無喜攻寇氏以爲接引諸藥李辰琢曰非接引也苓澤取其瀉膀胱之邪火也古人用補藥必兼有瀉邪去則補藥得力一闔一開此乃玄妙後

人不知此理專一于補必致偏勝之害矣蓋一補一瀉則補勢得力倘有君無使則獨力難行若妄意加減或純用補藥豈知通變之道乎

八味加減 述古與經驗已見

一腎虛與久瀉久痢加升麻故紙五味倍苓澤去牡丹

一左尺洪數而陰甚不足者倍加熟地或膏蒸或先煎

一右尺微細而陽甚不足者倍加桂附

一左關無力肝氣不足者倍山茱

一右關無力脾胃不足者倍苓澤無濕滯減苓

一胃火甚發黃午後熱口瘡善饑多渴减澤瀉倍丹皮

一肝火亢蒸熱莖痛小便短澁倍熟地丹皮

一胃氣弱中氣虛寒易脹易泄去牡丹倍苓澤桂附

一婦人經閉血少有熱倍丹皮熟地虛寒去丹皮倍熟桂

一燥涸有陽無陰去澤倍熟加麥門五味牛膝能渴浩飲倍苓澤不渴有蒸熱倍丹去澤用苓乳汁浸

一孤陽浮越緣腎虛不能歛納閉藏加牛膝五味以助山茱之酸收

一陽虛精損加鹿茸河車皆精血有情之品以助峻補草木之功

一腎虛不能納氣歸源為虛脹虛喘嘔逆上氣上焦煩熱倍加牛膝以助苓澤引之下降加五味以助斂納

一腎虛不能閉藏氣從臍下逆奔而上為逆咳倍苓加牛膝五味有火欝倍丹

一脾腎虛寒不能蒸腐閉藏而為晨瀉者加補骨脂兎絲以補脾腎之陽以為先天後天之用

一陰陽兩虛寒熱交作似瘧非瘧加柴胡寒多倍桂附熱多倍丹皮渴加麥門五味初病與元氣未衰暫加豨薟以逐邪邪去急補為妙寒熱則陰陽兩

虛不宜久留益逐邪亦是扶正也

一吐瀉交作陰陽虧竭如吐多有滓熱倍丹皮加五味以斂之瀉多倍苓澤以滲之更倍加五味故紙以斂之閉之加麥門(米炒)五味(蜜炒)亡陰失氣甚頻(氣者陽也下無陰藏而脫故亡陽亦曰亡陰)加升麻以提之故紙以閉之

一虛痞僁脹僁塊去丹倍桂附加牛膝五味

一久虛連綿腹痛加萸茱小茴　一腎虛疝痛睾丸大小加川練橘核吳茱黃栢(炒黑)去附(睾音釋引也)

一痰涎壅盛水虛者去附火虛者熟地炒枯用
一小兒發熱諸症去桂附湯加麥門五味有寒熱加柴胡白芍驚搐此熱耗血不能養筋加歸芍秦艽鈎藤如有虛脹少用桂小兒虛寒諸症去附厥脫者又宜附君火虛兼陰血虛者宜用桂去附　一小兒熱鬱痛瀉如注去桂附减熟炒乾倍澤瀉更加升麻湯多加麥門五味
一小兒虛熱發癎去桂附倍丹皮更加歸芍
一婦人血枯經閉其人瘦黑髮短性急先期腹痛頻飲腰痛蒸蒸潮熱去附减桂

澤倍山茱加歸芎杜仲酒炒一婦人白帶去附倍澤有痛滯加升麻無者加破故是佐使之宜可以共劑而賛助成功也味者多釋補藥仁意加入客倍於主責仁不專本方之功反退處於虛位或嫌氣地之滯而減之則君主弱或嫌澤瀉之瀉而去之則使力微焉足與語懶

按先贊張公爲立方之祖八味丸一方真水火之神劑救陰陽之聖藥愚攷奉爲衛生至寶濟險扶危憑此範圍沉疴無不立起乃因閱驗既久於法外無可形容

處所得愈深變化無窮誠如環之無端寔難言也特以法之可變理之有常也增損之以備閒架耳蓋醫之立方猶兵之設陣出奇應變豈非陣之能勝敵乎攻寔補虛豈非方之能愈病乎善兵者則因地制勝善藥者則因病處方有熟地足以補水有桂附足以補火投升柴則升提用膝味則斂降參朮補中氣歸芍養陰血更羽翼之以氣味相須之品或從陽引陰或從陰引陽觸處皆先何施不可顧有志者當於法外旁求

八味所禁 一或以何首烏並爲君則一藥二君何所適從一或配人參茋則補腎之藥達陰經補氣之藥走陽分而兩持不得其所反擾浮動之虛陽無所引而歸經矣一或有入棗仁歸朮以兼心脾之用抑知熟地之補精血尤賴山茱之酸澁以固之至於歸味辛而走營乃血分藥而非精分藥也酸收辛散大有不同血與陰精各宜驅別且六味八味各具陰陽使水火薰蒸釀成精血白朮以燥爲功專走脾胃入之則反耗蒸釀之勢真陰

何自而生至如棗仁乃心脾上焦氣分之藥蓋非腎家精血之宜也　一或入枸杞覆盆蓮肉之類力量太緩多加一味則多緩一分難圖速效　一或用僊茅雖有大力然性禀不同何能同隊各恃己力紊亂常經　一或用炮姜炙草乃中宫之藥不能達下且熟地氣潤甘温滋補真陰之品雜入辛熱温中之藥則不但柔潤之性全失而熟地毫無著力矣故地黄凡從古無加芎歸姜草者此也　懶於法外亦有用處如人参湯則别煎

冲服凡則用煎湯送如加當歸者於症得肝血暴虛用湯則投歸芍如加枸杞者於症得陽事衰精血虛則枸杞蓯蓉更為對藥如加蓮肉者亦先煎取水煑藥

八味丸湯送法

一用淡鹽湯送者取其鹽能潤下而軟堅有虛火者引而下之

一用米湯送者取其脾藥恬淡之真味生精最速因補腎以及脾之意也

一用白湯送者取其不疾不徐不熱不燥也

一用溫酒送者取其能行藥力更快冬天可以禦外寒也

一用補中湯送者必因元氣下陷之症既欲補其原本復處其走下太過下寒上虛更提中氣以升之使三焦元氣常在也　一用理中湯送者必脾胃沉寒先理中宮方能達下也

一用生脉湯送者取其金能生水使子母相生肺之氣注于腎而爲衛也又能引至金水二臟而生蔭

一用歸脾湯送者欲其先天水火後天氣血均涵也

一用人參老米炒送者取其引至脾腎兩家而生陽也

。以上如此煎湯送服者皆因病急不能久延標本俱

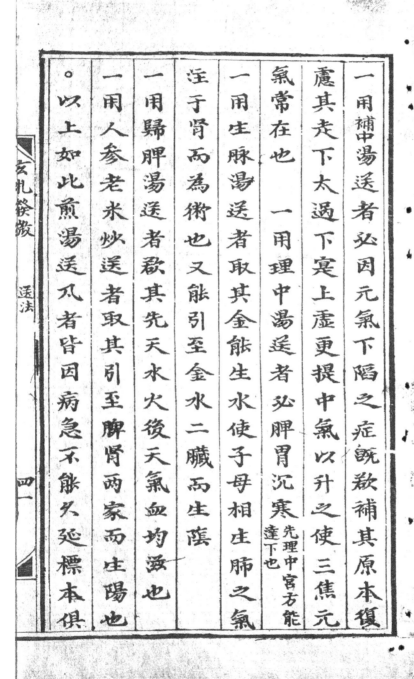

宜益顧故借煎藥之鋭氣以開先道之前功運送水火之神丹鎮納丹田以保元陽之永固煎藥之功少過凡餌之性復萌從根本以及三焦陽和常在意深遠矣

八味變法

六味丸 錢仲陽去桂附以治小兒 熟地 八月手足少陰厥陰藥也
山茱 四月足厥陰少陰藥也 山藥 四月手太陰藥也 牡丹 三月手厥陰足少陰藥也
澤瀉 三月手足太陽少陰藥也 茯苓 三月手少陰足太陽少陽藥也 右爲末和熟
地膏加白蜜丸如桐子大每服七八十丸空心食前淡
塩湯送下凡服辰須空心服畢以美饍壓之使不得留
胃中直至下元以瀉冲通也　此方治肝腎不足真陰
衰損精枯血竭腰痛足痠遺精便血消渴淋閉氣壅痰
涎目眩眼花耳鳴耳聾咽燥喉痛腰腿痿軟等症及腎

虛發熱自汗盜汗便血失血水泛爲痰久病陰火上升津液生痰不生血宜壯水以制相火其痰自消水虛血虛發熱咳嗽作渴腎虛則發熱于肺而咳嗽按之至骨其熱烙手或腎陰衰津液不降敗濁爲痰或致咳逆或頭暈淫慾過度腎氣不能歸源此氣虛頭暈也吐血崩漏肝不攝血致血之妄行此血虛頭暈也又治小便不禁腎虛作渴失音牙齒不固虛火牙痛血虛煩燥舌燥舌痛足跟作痛下部諸瘡瘍頭目諸虛腫凡小兒諸熱病而類從陽症者並建神功所謂壯水之主以制陽光是也

六味功能

錢氏以小兒純陽無陰故用六味丸齒遲行遲顖（音信）開柱倒先天虛症並用蓋純陽即稚陽純氣（非謂陽有餘也）無補陽之法故去桂附用之應手神效自此以來尊爲補陰神劑寔開聾瞶而濟夭札繼長泌遺澤於無窮凡腎水虛不能制火者此方主之腎中非獨水也命門之火並焉腎不虛則水足制火虛則火無水制而熱症生焉故名陰虛火動河間所謂腎虛則熱是也趙養葵專用此方每以大劑治病且曰即以傷寒久渴言之

邪熱入于胃腑消耗津液故渴恐胃汁乾急下之以存津液其次者曰但欲飲水者不可不與别無治法縱有治者徒以苓連知栢麥味天花甚則石羔知母此皆有形之水以沃無形之火安能滋腎中之真陰乎若以六味報之其渴立止何至傳於太陰而成燥寔便堅之症乎六味專補左尺腎水八味既補左尺腎水又補右尺相火少年水衰火旺宜用六味老人水火俱虧宜用八味况老年腎臟真水既虚邪火乘之而爲虚熱以致腰痛

足痿痠嗝消渴小便不禁淋閉等症非桂附之温散可守人畏其熱抑不知所補之火乃真陽之元也真陽之元一得陰翳之火潛消矣治水泛爲痰之聖藥療血虛發熱之神方惟滋其陰而火自降當串講不必降火也彼熟之温丹之凉藥之濇苓之滲茱之收澤之瀉補腎而兼補脾書曰益脾胃而培萬物之母收精氣之虛耗養氣滋腎制火導水使機關利而脾土健實有補有瀉以成平補之功誠古今不易之良劑也

六味方旨

此純陰重味潤下之方也純陰腎之氣重味腎之質潤下腎之性非此不能使水歸其壑其中止熟地一味為本臟之主五者佐之如山藥陰金也坎中之艮堅凝生金故入手太陰能潤皮膚水發高源導水必自山山藥堅太陰之土真水之源也水土一氣順達膀下如山茱陰木也肝腎同位于下借其酸澁以斂泛溢水火升降必由金木為道路故與山藥為左右降下之主以制其旁湊二者不相離觀李朱所用二味於他藥

方可知也丹皮乃手足厥陰少陰之藥能降心火達於膀胱水火對居瀉南心益北腎而又有茯苓之淡滲以降陽澤瀉之鹹泄以降陰疏瀹排決使無不就下入海之水此制方之微旨也一云澤瀉瀉膀胱之水邪而聰耳明目六經備治而功專肝腎寒燥不偏而補陰益血苟能常服其功未易殫述（聰耳明目謂滲下焦之濕熱濕熱既除則清氣上升故能）養五臟起陰氣補虛損止頭旋有聰耳明目之功是以古方用之今人多以腎目疑之蓋服之過多腎水過利而目昏若古方配合多寡適宜未易增減也

六味加減

宜與八味加減參看

腎氣丸爲補水之劑以熟地大補精血故也不知精血足則真陽自生況藥茱皆能濇精固氣氣者火也水中之火乃爲真陽此劑不寒不燥至平至淡至神至奇也即有加減不過一二味或三四味而止今人多揀本草補藥仁意加入有補無瀉客倍于主責成不專而六味之功反退處于虛位矣世用此方常有四失地非淮慶則力薄蒸晒非九次則不熟或疑熟地之滯而減之則君主弱或疑澤之瀉而減之則使

職微爲足與語　一形體瘦黑乾枯倍熟去澤若小便不利加麥味切禁澤此非水之不利寔精滋之耗竭也

一有陰熱（午後熱夜熱或晝夜蒸蒸久熱此皆陰熱之症也）倍丹皮肝大過亢加白芍（生用）若燎原之勢難當加知柏（用童便浸炒枯）若病肝氣亢肝血虛性急多怒減山茱倍丹皮加白芍柴胡

一脾虛少食倍苓藥（去丹皮）一血虛陰衰倍熟茱加鹿茸

一腎虛腰膝痠痛加（杜仲牛膝）一精滑頭疼昏暈（倍熟茱滑甚加破故）

一小便或多少或赤白倍茯苓若淋瀝倍苓澤帶濕熱

加梔子木通頻數去澤瀉加益智鹽炒三月辛熱濇精固氣
一心火盛及有瘀血倍丹皮加木通一脾胃虛弱皮膚乾澁倍山藥
一婦人血枯經閉加歸芎肉桂小便或赤白多少倍茯苓
一婦人諸般血症屬大虛者並宜有虛熱倍丹皮枯涸
去澤倍熟地食少去丹寒滯加官桂刺痛加青皮肉桂
乳汁不通倍地加木通去澤澤雖能滲更傷陰乳乃血也
一小兒諸熱症新病久虛無所不宜真幼科之聖藥如
或熱甚倍丹如渴極加知栢如熱渴加麥味倍熟

一腹虛脹熹地炒乾倍苓澤加五味　一熱吐加五味牛膝
一脾虛作瀉與久痢加兔絲破故　一吐瀉因於熱者加五味
一寒熱加柴胡白芍　一驚熱加龍胆秦芃柴胡白芍木香
一瘠熱倍丹熹　一痛瀉倍苓澤久甚加破故
一瘠眼加柴胡白芍菊花蒺藜　一瘠熱腹大肉蒯熹地炒乾倍苓澤加車前牛必
一變蒸熱者加升麻　一行遲齒遲髮遲語遲顖
開柱倒龜胸龜背諸先天不足之症並宜加鹿茸鹿膠
甚則河車借有情之品助草木之能無不獲效此皆愚之經驗

所得姑畧陳之然天八方中実衛生之妙用海清終見底讀此無窮源古言医者意也而吾意所解口莫能宣正謂此也

六味丸湯送法

其八味丸湯送法参看

六味所禁

一凡大虚脾胃弱易泄不宜多服

一陰盛肥白人見有熱症此土虚不能藏陽禁用

一亡陽症雖見暴熱乃是火浮于表元氣脱也禁用

一脾肺之痰壅盛或至喘逆者禁用

一因水盛而為腫脹雖有苓澤亦禁用

六味變法

附薛氏六変

本方加肉桂一兩名七味地黄丸治腎

水不足虛火上炎發熱作渴口舌生瘡或齒根潰爛咽喉痛或形體憔悴寢汗發熱此能引無根之火降而歸源一腎水不足虛陽上僭必用此方引火歸源夫五志之火可以濕伏可以直折龍雷之火惟當從其性而伏之肉桂性熱與火同性雜在下焦壯水藥中能引無根之火降而歸經此亦以類聚之義也且以肉桂之質在中半以下故其性專走腎經本乎地者親下之義也況相火寄於甲乙之間肝胆木旺則巽風動而烈火焰明

古人謂比方不可瀉瀉肝即所以瀉腎本草曰木得桂而枯桂乃伐肝之要藥也経曰熱因熱用従治之妙法正與従其性而伏之之義相合或者畏其熱而遺之豈達造化升降之微乎知栢僅可施於壯實若虚火而誤用之則腎因瀉而愈虚愈虚而虚火愈熾矣素問曰氣増而勝久用寒涼反従火化之説獨不聞乎本方加黄栢知母各一両名知栢八味丸治陰虚火動骨痿髓枯右尺脉旺者宜之集解云補天一所生之水也丹溪云君

火者心火也可以水藏可以直折黃連之屬可以制之
相火者天火也龍雷之火也陰火也不可以水藏直折
當從其類而伏之惟黃栢之屬可以降之
按知栢八味丸與桂附八味丸寒熱相反而服之者皆
能有功緣人之氣稟不同故補陰補陽各有攸當藥者原
為補偏救弊而設也六味以補陰八味以補陽十補以
補陰陽之俱虛此皆滋先天之化源自世之補陰者率
用知栢反戕脾胃非也節齋曰凡酒色過度損傷肺腎

真陰虛者不可遽服參芪服多者死蓋恐陽旺而陰消也自此說行而世之治陰虛咳嗽者視參芪如砒毒以知栢爲靈丹使患此症者百無一生良可悲也蓋病起於房勞真陰虧損陰虛火上故咳嗽先當以六味之類補其真陰使水升火降隨以參芪救肺之品補腎之母使金水相生則病易愈矣亦有用參芪者亦不先壯水以制陽光而遽投參芪以補陽反使陽火旺而金益受傷此不知先後之義者也又有胃火亦陽火寔則宜降

如凉膈飲石羔大黃之類暫宜虛大則有參芪术之類此補土藏陽之法宜補中　本方加桂附車前牛膝各一錢一名金匱腎氣丸取收攝腎氣歸源之義故名　治脾肺腎俱虛腰膝脚重小便不利肚腹脹腫四肢浮腫喘急痰盛已成蠱症或虛氣水泛為痰用此補而逐之又治脚氣上入小腹不仁及婦人轉胞小便不通非此不救

土為萬物之母水為萬物之源身中所最重者也脾虛則土不能制水腎虛則水不能安位故逆行而浮溢於皮膚

之間因而攻逐虛虛之禍始不可救八味脾腎要藥佐以車前泄太陰之水牛膝開少陰之竅故脹之則小便如湧泉而脹已無損真元之氣也脾肺寒結則氣不化水矣所以金匱用桂以運動其樞机則水自下非若四苓專以行水為事也仲景金匱腎氣丸補而不滯通而不泄誠治腫之神方也　本方加五味二兩名都氣丸主治癆咳益肺氣之源以生腎水再加桂亦治消渴者又用五味一兩肉桂一兩名八物腎氣丸主平補腎氣堅齒駐顏

本方加五味二兩麥門三兩名八仙長壽再加河車一具並治虛損消渴勞熱河車本人之氣血所生故能補氣血借其藥力使無情生出有情　本方用熟二兩藥茱丹各五錢苓澤各二錢半加歸尾柴胡五味各五錢蜜丸硃砂為衣名益陰腎氣丸即東垣明目地黃丸治腎虛目昏加柴胡者所以升陽于上也

薛氏六變

趙氏得力於薛氏醫按而益闡其奧觸類旁通外邪雜病無不貫攝而六味之用始盡

一變而為滋腎生肝飲用六味減半分兩而加柴胡白朮

當歸五味合逍遥而去白芍又加五味合都氣意也以生肝故去白芍而留白朮甘草以補脾補脾者以生金而制木也以制為生此天地自然之理

二變而為滋陰腎氣丸獨去山茱而加柴胡歸尾五味乃合逍遥都氣肝腎同治然用生地歸尾者以行瘀滯也柴胡疎木氣也去白芍恐妨於行疎之力也名滋陰者滋厥陰也皆用五味者雖合都氣然寔防木之反尅瀉丁之義也去山茱不欲強木也　三變而為人參補

肺湯其義愈变無窮真遊龍戲海之妙去澤瀉而加
参歸芪朮陳皮甘草五味麥門夫白朮之與六味其
性相反安得合之曰從合生脉来則有自然相通之
義借茯苓以合五味異功之妙用當歸黃芪以合養
血之奇其不用澤瀉者蓋為其發熱作渴也小便不
調則無再竭之理理無再竭便當急於生生脉之所
由來即當生脉異功之可以轉入也且水生高源氣
化能出肺氣將歇故作渴不調此所以急去澤瀉也

而生金滋水復崇土以生金苦心可知也
四變而為加味地黃丸又名抑陰地黃丸加生地柴胡五味各等分愈出愈奇矣柴胡從逍遥来生地從固本來五味仍合都氣其曰耳内痒痛或眼昏痰喘或熱渴便澁而總為肝腎陰虚則知其陰虚皆由大鬱而致也使柴胡以疎之大鬱非生地不能凉用五味乃瀉丁以補金補金以生水也曰抑陰非疎不可疎之斷以抑之也生地凉血便有瀉之之義也瀉之所

以抑之也　五変而為九味地黄风以赤茯苓代白茯苓去澤瀉加川練子當歸史君子川芎此是王瀉厥陰風木之藥仍是肝腎同治之法緣有痺必有虫皆風木之所化肝有可伐之理但伐其子則傷其母故以六味補其母去澤左著腎不宜再泄也

六變而為益陰腎氣风此加五味仍合都氣加生地當歸二味則從四物来何也其别症有發熱潮熱晡熱肝血虚也安得再以柴胡疎之哉最妙在胸膈痞

問一句緣此症之悶是肝胆燥火爲之悶伏胃中非當歸生地合用何以清胃中之火而生胃陰若用柴胡便爲逍遥入肝胆不能走胃陰矣一用柴胡一不用柴胡流濕就燥之義判若天淵微乎微乎趙氏所以爲六味加減法須嚴其擅用六味雖薛氏啟其端而以上变法槩未透其根底故盡廢而不能用見其能合柴歸而去白芍則反以白芍爲疎肝益腎此其聰明也乃謂白术與六味水土相反人參腥

藥不入腎其論亦高簡嚴密然細參薛氏畢竟趙氏拘泥薛氏諸變法似乎寬濶然其寔嚴密學者當善悟其妙而以意通之大旨以肝腎為主而旁救脾肺則安頓脾肺二火不必提起而自然帖服

合用最宜藥品

水火方可以同隊建功腎家藥與肝藥肺藥者此化源之序也腎藥如枸杞蓯蓉故紙兔絲牛膝杜仲地骨續斷知母黃栢玄參肺藥如麥門五味肝藥如柴胡白芍當歸精血藥如鹿茸麋茸鹿

膠河車人乳餘皆各有宜忌切不可妄行增加如彼此相持以神方為畫餅

百病兼治

凡三十八條

一中風偏枯手足痿弱者乃筋骨之病宜八味加牛膝杜仲鹿茸枸杞以後天氣血藥兼尾藥間服之

一五痺者無非筋骨血脉之由陰虛則六味陽虛則八味兼風藥以治之

一積聚者虛則有之若補土益堅消導愈弱惟有八味风增損之

一吐瀉者吐則亡陽瀉則亡陰病未至厥冷者厥冷用參附與病後稍

解後用八味倍茯苓山藥桂附加破故亡津液而渴者加麥門（米炒）五味　一嘔穢者書云諸嘔（逆上冲皆）屬於火然火有虛寔虛火者用八味倍茯苓牡丹加五味牛膝　一泄瀉者腎為胃之關開竅於二陰職司閉藏凡久瀉者惟八味倍茯苓山藥加破故兔絲五味

一燥結者乃津液乾涸之症原大腸得血則潤亡血則燥宜六味倍熟地加牛膝蓯蓉

一頭風頭痛者多因陽氣上虧陰邪干犯宜八味加

五味牛膝濁陰降真陰生雷火息真火藏上下肅清

一頭頂痛而不干於風邪者乃水衰不能榮筋用六味熟澤瀉加秦艽白芍　一眩暈者雖有風痰氣血之分總之中氣虛則風火爲用凡手按而暈定真陽虛也宜八味加牛膝五味杜仲遇勞而暈真陰虛也宜六味倍熟地熟澤瀉加麥門五味牛膝

一大頭痛若其人氣極虛切不可誤用寒涼攻逐惟六味倍熟地牡丹澤瀉加玄參牛膝火甚加知母黄柏

一髮鬚脫落或變白者雖云髮乃血之餘鬚應陽明之脉要烏黑牢固者無出乎滋補精血二者而已宜六味倍熟地加鹿茸麋茸鹿膠之類

一目痛者雖有內障外障之分要之光燭遠近者火之用也光明不竭者水之力也陰陽合德而生精明故痛而見物者陽病也熱也則補真陰真水六味倍熟地去澤瀉加斑龍五味牛膝甘菊無痛而不見物者陰病也寒也則補真陽真火八味去牡丹倍桂加

牛膝麥門五味甘菊　一耳病聾者不拘内因外因左病右病總之腎開竅于耳腎和則聞五音新病則多熱久病則多虛宜八味丸料有火去桂附倍熟加龜膠五味牛膝無火去牡丹加石菖蒲麋鹿茸膠

一耳鳴者皆因水衰火炎六味加牛膝火虛者八味加五味牛膝杜仲　一鼻常塞者不知香臭氣之病也雖責於肺然腎爲納氣之源氣不能升宜八味加升麻麥門五味　一鼻淵者經曰腦滲爲涕因火冲爍

也若事脾肺無功不知腎主五液腎陰虛相火上炎
爍肺金津液不得下降而走空竅宜六味加麥門五味牛必
一喉痛痺者皆因於火沖爍也然火有虛寔寔者少
陰君火心脉挾咽宜正治虛者足少陰腎火腎脉從
喉宜從治水衰火炎六味倍熟地加麥門五味牛膝
火虛八味加麥門五味牛膝如上熱盛無水制作大
劑爍煎冷服　一口脣舌生瘡糜爛者其症雖屬於
心脾更有腎虛不能斂納下焦陽火宜六味加五味

麥門牛膝　一齒病動揺早落者蓋腎主骨齒者骨之餘宜八味與精血品若牙宣出血臭爛清胃火而無功者宜六味加麥門五味牛膝倍山藥茯苓

一心痛雖有九重之分治若虛而諸藥不效者必以痛無補法須用八味料急補命火以爲上牽之計

一胸脇痛者蓋胸爲氣海遍用氣藥不效者不知書云腎虛多有隱痛此氣不歸源也宜八味加故紙萸茱清鹽浸炒與下脇一點痛久不愈者宜八味加當歸白

芎萸茱　一氣鬱氣滯者非越菊瓜蘇子沉香木香烏藥香附降氣行氣之華可能建功而屬於虛者惟補命火以爲諸氣之主宜八味加麥門五味中膝沉香

一腰痛者雖有結痰氣血濕熱寒滯之别然終不越於腎宜八味加鹿麋茸膠牛膝杜仲痰多倍茯苓濕多加豬苓倍澤瀉血滯倍桂加紅花氣壅加升麻吳茱

一腹痛者雖有寒熱虛實痰鬱六淫七情各有異治然有小腹屬肝肝腎同治當分假熱真寒火炎則六

味加柴胡白芍虛火盛則八味加呉茱沉香
一腹中水鳴者其治雖滲濕然鳴而畏寒中氣大虛
宜補命火八味倍澤瀉加五味牛膝
一脚氣症者皆由腎虛若入腹冲心最爲危候宜八
味加呉茱牛膝五味木瓜若初起須以腎氣丸預服之
一足痿者獨取陽明經以統宗筋也又云肺熱葉焦
經云五臟皆痿要之痿乃筋骨不仁之病精血之衰也
無如八味加牛膝杜仲與精血品誠療痿之聖藥

一軟症者各有因症施治之别惟有氣厥則身凉未至脫者八味加五味　一血病吐衄凡血出於上者靡不由火而倒流也如寔者可以寒凉清之瀉之汗之畢矣虛者水衰則六味加五味牛膝甚者加知母黄栢玄参火虛則八味加五味牛膝斑龍

一虛勞症者雖方書分演繁多而其源本於精衰血損殺補精血海惟六味八味憑脉而治之加精血之品以滋生長之源加麥門五味以滋肺加牛膝以降

濁陰此補土則金生壯水則火息也

一咳嗽者多由於肺氣逆也然肺出氣腎納氣凡久咳必氣不歸源從臍下逆上用六味倍茯苓加牛膝五味麥門肉桂寒甚加附子

一喘逆者有寒熱水火之分有肺虛腎虛之別然喘無不本於氣逆治寔則降氣行氣足矣治虛則惟宜歛納足矣故水衰則六味火虛則八味並加麥門五味牛膝

一痰飲者蓋痰之生於脾　而本於腎之水衰水泛爲

痰痰多白沫宜六味倍茯苓加麥門五味牛膝火虛不能蒸土宜八味倍茯苓加麥門五味牛膝

一哮吼者凡因大病久病與極虛證八味加五味麥門牛膝

一自汗盜汗者雖氣血榮衛之分治津液耗竭之機故汗而身凉陽虛也汗而身熱陰虛也夫救陰助陽之本無如水火二方分水勝火勝並加牛膝五味以補斂之熱多倍熟寒多倍桂

一消渴者凡人水火宜得其平氣血宜得其養運納

四布何消渴之有治法何必分上下中先救腎爲急水衰則六味火虛則八味並倍熟地加五味麥門牛必班龍

一驚悸怔忡健忘者蓋心藏神腎藏志心主驚腎主恐心知將來腎藏已往此因心腎兩虛故有無故而恐觸事而忘惟蓮肉煎八味料加麥門與精血品使心腎相交而愈

一不寐寐凡人之神寤則棲於心寐則歸於腎心虛則神不能藏腎虛則神不能歸此雖心病實則於腎宜八味茯苓換茯神加五味牛膝

生杜仲　一發癃此陰陽相爭俱虛之症凡癃症此極虛病無如六味八味加柴胡牛膝熱多倍熟地寒多倍肉桂　一積聚虛則補之若補之而益堅消導而愈弱久不能愈而成臌脹者書以爲難醫四症惟宜八味丸料加車前牛膝增損治之亦名金匱腎氣丸　一下痢凡久　痢與久虛此後天氣血藥所能惟宜八味丸料加故紙以司閉藏　一脫肛既升提腸已收一行而又肛屢用不固者此元氣大虛惟八味加

故紙金櫻以閉之　一浮腫此膀胱不能滲入必由
下焦火衰水無氣不化也宜八味加牛膝五味車前
補而不滯化而不泄　一噎膈翻胃關格凡噎膈翻
胃皆由於火而關格亦由火盛水衰津液枯槁故水
衰則六味加麥門牛膝火虛則八味加牛膝五味斑
龍膠乳粉　一呃逆此有寔有虛寔則聲短發於中
焦降火散氣消痰足矣虛則聲長發於下焦宜八味
加牛膝五味有能挽回　一痞滿多得於陰虛血病

若純用氣藥則痞益甚微者用氣藥補脾甚者八味倍熟地加五味牛膝從陰引陽經曰濁氣在上則生䐜脹

一五淋此症各有分治總之腎主五液膀胱之氣化全賴此相火若勢已沉困無逾八味倍熟地加麥門五味車前牛膝作大劑冷飲勢若決堤

一小便閉得於熱鬱無水制也得於寒凝無火化也救水者則六味倍熟地茯苓加車前牛膝救火者則八味加車前牛膝

一小便不禁夫肝主疏泄腎主閉藏疏泄

得用則閉藏失職矣宜八味去澤瀉加益智湯多用澤瀉以去水邪　一夢遺精滑夫心為君火藏神統血腎為相火藏志藏精君相火動炙爍真陰故夢寐而疎泄惟八味丸加五味破故鹿角膠乳粉使血生精精生氣氣生神心腎交精神氣血相依而自固

一帶下在女曰帶下白淫在男曰遺精白濁凡在精血之病宜求精血之品以補之惟八味丸倍茯苓加五味破故鹿麋茸膠　一陽痿此真陰虛無水則火

動動宜八味去澤瀉加牛膝鹿茸杜仲枸杞甚則加河車以獨參湯送下　一七疝治之各有別惟㿗疝切責於肝腎宜八味凡凡橘核青鹽角茴香萸萊柴胡白芍探而用之　一黃疸症若脾腎虛寒脉沉細身冷自汗瀉痢溺白濁者此陽氣虛不化陰寒之凝滯名曰陰黃宜六味倍怀山茯苓澤瀉加肉桂牛膝與腎虛不能行水濕生熱面目俱黃兩足遲緩腰脚痠軟小便自利宜金匱腎氣凡加麥門作湯使陽氣

宣而陰寒自退若誤用寒涼分利必死

一大熱久熱凡治之之法非補土以藏陽即滋陰而退火土虛而熱甚熱微須以脉色辯之陰虛而熱必大熱久熱宜火劑六味倍熟地加麥門五味牛膝斑龍乳粉以清之小兒尤要

一啼哭無聲與病後失音蓋聲音雖出於肺而根於腎如身熱則六味加麥門五味身涼少加肉桂如脚腹熱脚常縮眼常斜視身常跳動其解顱鶴膝皆先天不足其喉多痰目多白睛面

色活白宜大服六味加牛膝杜仲鹿茸枸杞陽虛甚加肉桂大附脉若沉滑者不治耳後方圓一寸陷者腎敗也宜六味加鹿茸枸杞有虛寒加肉桂

一齒遲此皆腎氣不足也宜六味加鹿茸枸杞有虛寒加肉桂甚者加附子

一語遲而肢軟色黧睛白氣短神薄者宜六味加麥門五味有寒加肉桂

一行遲夫骨主於腎憑髓以養足膝者筋骨之府肝主筋腎主骨宜六味加鹿茸枸杞杜仲虛寒加肉桂

一天柱骨倒雖有三因總爲真陽大敗之惡候其病根於先天變於後天宜六味加牛膝杜仲鹿茸有寒加肉桂大附以補先天補中歸脾間服以補後天

一發熱多有所因當分治若大熱傷陰惟六味加麥門五味甚者加斑龍勿用寒凉以敗元氣

一驚搐各有所因緩急之分風痰之治若稟虛身熱血損筋枯而驚搐者惟六味倍牡丹茯苓加蓁艽木香虛甚加斑龍如慢驚則以後天脾胃藥治之愈後

宜八味丸加五味牛膝與歸脾湯間服

一剛痙痓原失血過多與癰疽潰後而得者身熱面紅眼赤甚至角弓反張宜全料六味去澤瀉加麥門五味牛膝杜仲

一五疳之症夫疳者乾也精虧血損而然大人曰癆小兒曰疳乃根本之病也憑於陽虛陰虛以六味八味加精血之品增損以治之不可誤用二連蕪荑蘆薈之類

一龜胸龜背此腎無生氣而骨不能滋長甚爲惡候宜六味加鹿茸河車枸

杞虛寒加肉桂附子以挽之　一經病如經枯乃氣血兩虛之故非氣血之藥所能水火爲氣血之根陰虛而熱以六味加歸芍牛膝鹿茸陽虛而寒以八味加芎歸牛膝杜仲鹿茸　一嗣育其要無非滋調精血爲主然有陰陽之分陰虛則六味陽虛則八味量加精血之品與菟蓉枸杞之類　一胎病累及根本宜憑於陰虛陽虛以六味八味調補之风者緩也日漸吞脹臟腑習以爲常且苿羸重隂藥以護之而桂

附惟有胸腹濡長上奉之益安有傷胎墜下之虞
一産后嘔吐由命火衰不能生土者宜八味加牛膝
五味兒然　一産后呃逆氣喘乃孤陽絶陰之危症
身凉則大進參附身熱則八味加牛膝五味
一産后痰痢若非外因必陽虚不能生土陰虚不能
閉藏宜八味加破故　一産后咳嗽久不愈者惟六
味倍茯苓加五味牛膝有寒加肉桂甚者加附子
一産后大小便秘由産辰氣血俱下液竭腸枯宜八

味加牛膝蓯蓉以補之如小便不禁宜八味加益智一乳汁不行多用氣血藥而無功惟八味倍熟地去澤瀉加麥門五味牛膝木通以此六味八味其所顛倒施設致用百發百中靡不效者學者宜留心焉

錦囊增損十二方

天地而無水火何以秉造化之功人身而無水火何以濟化生之道六味地黃補陰陽之小劑八味地黃救陰陽之大藥水中尋火其明不熄火中求水其源不竭補中有瀉久服而無偏勝之

實瀉少補多邪去而補愈見其效相和相濟五臟俱宜根本既榮枝葉自茂設遇症候不同難以原方純用或將月令輕重變通或佐助以入隊之藥一二則本方之力量既存而輔翼發生之功愈見備專以心脾氣血為事者則本門各有專方何必借此混加雜亂徒負虛名而無寔效

二妙地黃丸 治濕熱內鬱而為便濁或生瘡

熟地八兩微烘炒乾　山藥四兩炒黃　山茱四兩酒拌炒　牡丹三兩焙　茯苓三兩焙　澤瀉三兩薑水焙乾　黃柏

七ㄋ附子五ㄋ與栢鹽酒同浸一宿揀開栢炒蝎色附焙燥茅山朮二ㄋ米泔浸切片黑
脂麻拌炒黃如濕多熱少用附子七ㄋ黃栢五ㄋ如濕少熱多用附子五
ㄋ黃栢七ㄋ同浸各味爲末用金石斛四刃煎膿汁入白蜜十
二刃煉爲丸每早晚食前白湯服三ㄋ忌食酒鷄魚煿炙濕熱之物

育脾固骨地黃丸

治骨虛晨瀉熟地八刃酒炒山藥天刃炒黃山
茱五刃酒蒸炒茯苓四刃焙五味二刃澤瀉三刃鹽酒浸炒補骨四刃鹽酒
浸炒香兔絲淘淨酒浸三日蒸爛搗膏即入藥不可泄氣右爲末用熟地
搗膏入藥如乾加飴糖爲丸每早米泔下四ㄋ適晚

白湯下三フ戒酒肉以杜濕熱之毒

雙補地黃丸 地茱補腎精絲連補腎氣故曰雙補 熟地八両微火焙燥 丹皮三両酒拌炒 山茱四両酒蒸乾炒 茯苓三両焙 山藥四両炒黃 蓮肉六両炒 澤瀉三両鹽酒浸炒 兎絲四両製如前法另搗 右煉蜜為丸每早空心白湯下五フ

清心滋腎地黃丸 熟地八両清水煮 丹皮三両焙 山茱四両酒蒸炒 山藥四両炒黃 茯苓三両人乳浸炒 澤瀉三両鹽酒浸炒 遠志三両甘草水煮浸取肉晒乾炒 五味一両搗粗末酒蒸晒乾炒 麥門三両去心炒 右為末熟地搗爛入藥加白蜜為丸每早空心蓮子煎湯送下四フ

阿膠地黃丸 治金水兩臟受傷咳嗽吐紅

熟地膏一斤將八兩熬汁去渣八兩汁內熬爛成膏 山藥四兩炒 山茱四兩酒蒸曬用 茯苓三兩人乳浸炒 丹皮三兩炒 澤瀉二兩鹽水浸炒 麥門四兩去心炒 阿膠二兩切片蛤粉炒成珠 右為末用真熟地膏入藥加煉蜜為丸每早空心或白湯或鹽湯送下四錢

滋金壯水地黃丸 養陰配陽滋金壯水

熟地三斤熬汁去渣煉成膏十二兩 山藥六兩炒黃 丹皮四兩炒 茯苓四兩乳浸曬乾 山茱六兩酒蒸曬乾 澤瀉三兩鹽酒浸炒 牛膝四兩淡鹽拌炒 麥門五兩去心炒 右為末用熟地膏入藥加煉蜜為丸空心白湯送下日二服每服六十丸

加味七味丸 清肺金補腎水納氣藏原引火歸源 熟地八兩清水伴煮 山茱四兩酒蒸炒 牡丹三兩炒 茯苓三兩乳浸乾炒 山藥四兩炒黄 澤瀉三兩鹽酒浸炒 麥門三兩去心炒 肉桂一兩去皮 五味一兩蜜酒浸炒 用熟地搗爛和蜜八兩為丸每早空心淡鹽湯下四ㄋ或生脈煎湯送下

和肝滋腎地黄丸 女科尤宜此方 熟地八兩酒煮 山茱四兩酒蒸 牡丹三兩酒炒 茯苓三兩乳浸乾炒 山藥四兩炒黄 澤瀉三兩鹽酒浸炒 歸身三兩酒炒 白芍三兩蜜水炒 肉桂一兩去皮 右為末用熟地入藥加蜜搗爛為丸每空心白湯送下四ㄋ冬天酒服

滋陰八味丸

熟地八兩清水焙 山茱四兩酒蒸晒乾 牡丹三兩炒 山藥四兩炒黄 茯苓三兩乳浸晒乾 澤瀉二兩鹽水浸炒 麥門三兩去心炒 五味一兩蜜酒浸炒 肉桂一兩去皮 附子一兩切片焙乾 炮製蜜丸

如腎家偏於氣分不足者去麥門五味加牛膝杜仲各三兩俱用鹽酒拌炒 爲末用熟地搗爛入藥煉蜜爲丸每早空心送下四ク 如肺氣不足以生脉飲煎湯送下如有浮火未歸源者淡鹽湯下如偏於陽虛者獨參湯下

壯陽固本地黄丸

治元陽衰憊之極 熟地二斤酒蒸去滓熬膏十二兩

山藥六兩炒黃　山茱六兩酒蒸炒　茯苓四兩乳浸焙乾　鹿茸三兩去毛酥炙
鹿膠四兩酒化　骨脂四兩鹽酒炒香　五味二兩蜜酒浸炒　枸杞八兩另蒸膏四兩
澤瀉三兩鹽炒　附子一兩五錢切焙　肉桂一兩五錢去皮　紫河車一具用銀針破血用長流水洗净再用酒洗酒炙搗爛入藥　右爲末用熟地河車鹿膠枸杞四膏入藥末爲丸空心参湯送下四五錢臨晚食前
温酒送下三四錢

固本十補丸方按　常用無鹿茸者以治大人小兒腎元不足脾胃虛弱者較之八味獲效尤勝矣　熟地八兩酒水煮爛　山茱五兩酒蒸乾炒　山藥六兩炒黃　茯苓四兩乳浸

焙乾牛膝四兩鹽酒炒杜仲三兩鹽酒浸炒五味一兩二分蜜炒附子一兩五分焙乾肉桂一兩五分去皮鹿茸一具肥嫩紫潤去毛切片炒鬆黃右為末用熟地搗爛入藥煉蜜為丸每早空心淡鹽湯下五六分隨進飲食壓之。○按經曰濁中濁者堅強筋骨又曰精不足者補之以味非熟地性稟地道之至陰重濁味厚者其能補陰乎但色黃得土之正色故走心脾藥晒至黑則減寒性而專溫補肝腎矣且腎陰既虧則木失所養而肝血定難有餘故虛則補其母使母能生子即熟地也更虛則復補其子恐子虛則竊母氣也故用山茱以益肝且精斂固而畏脫山茱酸澁更可爲收固精髓之用以助腎家閉藏之職山藥甘鹹既補脾而入腎從化源也茯苓淡滲搬運下趨精孚可以入腎非如澤瀉久服傷陰之弊但腎最居下非牛膝之強力於下行者其能達乎況同杜仲則堅強筋骨以爲熟地之佐使然萬物生於陽而不生於陰如春夏發生長養而秋冬肅殺閉藏故用熟地山茱

一隊陰藥更兼肉桂之辛甘以補命門之真火附子之健悍以噓既槁之陽和使陰從陽長蓋無陽則陰無以生也但慮草木無情更借異類與精血有情之品其鹿茸乎鹿稟純陽之性茸含生發之机助草木而峻補令無情而俱變出有情然補此火得安其位則水也便得歸其源乃成一陽陷于二陰之坎象萬病俱無生長之兆奈人在氣交之中多動少靜動則火化誠恐辛熱之藥乘勢潛越于上再入酸以斂之

鹹以降之其五味子守泥斂肺金而滋腎水生津液而強陰功專納氣藏源之用經曰五臟者神明之臟故臟無瀉法至於腎者藏精之所至陰之處有虛無寔有補無瀉書曰十補無一瀉此方之謂也

加減八味地黃湯

熟地八ㄅ至一兩 皮丹二ㄅ 山茱二ㄅ 茯苓一ㄅ半 山藥二ㄅ四分 澤瀉一ㄅ 牛膝二ㄅ 麥門三ㄅ 五味六分 肉桂一ㄅ 水三大碗煎至一碗食前温服日二劑再煎滓服後隨進飲食壓之數劑後熱退嗽減六脉洪緩無力

身體倦怠照前方冲参湯服愈後每早淡鹽湯吞服八味丸四五ク隨以培養榮衛膏滋一大丸白湯化服是由點燈之添膏油也不論春夏秋冬凡咳嗽不止痰唾稠粘身熱骨痛頭眩目腫或辰畏寒六脉弦數肌肉日瘦夜不能寐甚至兩頤之間腫硬者並宜

按肺最居上氣最清肅苟無因以致何有咳嗽不寧之患乎致之者不外乎外感風寒內因痰火氣而已然初感風寒者自作風寒正治倘稍鬱久成熱則嬌

臟易傷發散寒凉俱宜禁用蓋每冬腎水向已有虧肺金久失滋養借此傳染之傷風新咳頓成緊急之癆瘵病痾備識認不早從標清理後救無及余嘗遇此症壯熱增寒咳嗽頻飲痰唾稠粘精神困倦肌膚日瘦六脉洪弦而數久按無神當此之際若欲消痰適足以助燥槁之勢此痰乃水泛所化非痰藥所能清之也若欲清火適足以傷胃氣此火乃無形之火非寒凉之藥所能折之也若欲理氣適足以耗散真

元此氣乃丹田至寶之元氣因無陰相濟不得已而上浮非桑皮橘紅所能理之也津液日耗消爍日甚陰愈虧而火愈盛禁行脉中故脉洪數無倫亦廹於勢也水中之真火上炎徹骨之大熱乃壯火秉金之候焚灼難堪苟非重用火中補水之方奚堪潤撤堅燎原之勢每用八味或去附子倍加熟地更入牛膝麥門五味作湯大劑日二劑食前溫服俾真火藏源龍雷自熄真陰一得焦爍稍回漸見無汗之骨蒸變

爲有汗而熱解然虛火一退若真元虛極者倦怠必
來補氣之功便宜接續真陰虧極者真陽一復燥涸
難除補水之功又須倍加當此熱病而熱藥勢可駭
人然本病而本治寔切至理

錦囊八味治案護三十二案　**癇病**　**八味丸**倍熟地加牛膝　**五味**

一治金姓兒年十四患癇病其脉洪弦有力惟兩尺
則弱此陰道虧極孤陽無斂火性上炎而僵僕若用消痰
鎮驚之藥仍八味丸倍用熟地一斤用半斤入清水
更耗真陰熬汁去渣將半斤入汁內熬爛入

藥山茱四两牡丹四两伏苓三两乳汁炒山藥四两澤瀉二两鹽炒五味二两牛膝附子肉桂各一两半白蜜為丸淡鹽湯送服四錢服之使真陽藏納然陽無陰斂何能久藏

火無水制難免浮越更以大料壯水熟地一两丹参茯苓丹皮各一錢半生白芍二錢麥門三錢遠志一錢二分牛膝三錢五味一錢燈心十根蓮肉十粒水煎服繼之

以助封藏之勢隨以養心清肺和肝膏滋一丸棗仁四两當歸三两熟地八两金石斛白芍各三两麥門二两牛膝三两遠志二两先以蓮肉一斤煎取汁煮濃入人参三两茯神四两茯苓三两為末和丸每丸重四錢下午食遠白湯化下一丸以調氣血此

求本之道不治癇而癇自愈

痞塊　八味加牛膝車前五味麥門　一治何宅兒九歲腹脹有塊羸削神疲耳膿目紅牙齦出血或辰腐爛咳嗽氣短脚疼不寐不食已成壞症其脈或辰弦洪有力或辰弦無力此以脹尅削（如消積清熱之類）真氣內亂陰陽已竭乃中空外浮之象要知凡痞氣所成皆由中氣不能健運以致痰食氣滞聚而不散亦非鐵石物也（故古方消積必）兼參朮以扶正化滞奈何以有形之藥峻攻無形之滞中氣愈弱壅滞愈固試思通利之藥必仗中氣以運行人至氣絶之後灌以巴黄斤許豈能迅利一物此人無氣運行則雖入腹猶置於缽木器中安然不動如此一

想則痞聚之類可不伏中氣以運行乎仍將金匱腎氣加味作湯大劑空心温服數劑熱脹病減隨以參服三ク另煎冲服旬日精神稍長每早以生脈飲送八味丸加五味牛膝各三ク兼照前湯金匱腎氣加味冲參進服調理兩月諸症悉平向患痞塊不知從何處下落矣

腫脹 **八味去附倍熟加麥味牛膝**

一治張部年十歲患腹腫累醫消積而脹益甚腠肉盡削形如鶴立勢甚危篤此章藥誤非病拙也猶土乾則埠再投燥脾尅削益令中氣愈虛而難運行於四肢百達是以壅滯于中脹

滿益甚要知此長彼消總此氣也此氣無消之之理惟宜溫養以壯之滋陰以配之補真火以生土益中氣以健運清濁自分腫脹自愈要知諸病不能出乎真陰真陽之外而人之求生寧能外乎真陰真陽之中者乎真陰真陽者諸危病之要領寔為求生之根本者也仍以八味作湯以潤水枯金燥更使肺氣注于腎而有所歸也十劑後漸平仍以煎湯作丸以生脉飲送之月餘而愈次年夏月兩脇下忽發腫硬又兩頤之下腫亦如之此因去年根本未復入夏陽氣浮外肝腎之氣不能牢固於下以

致無根之火上炎則關津管束之所仁其冲爍爲累何毒之有仍以去年之煎湯加青皮四匁 土貝母二匁食前服之不及十劑而安

腿癰 **八味湯加牛膝杜仲**

一治張兒十三歲患腿癰腫痛已極色白而氷冷日夕疼痛其六脉沉細而微身體浮胖面色㿠白此暮年所得先天不足経云氣血不和留結爲癰今使氣血和則無留結癰何自成乃以八味作湯加牛膝 杜仲食前服三四劑而安

卒倒 **八味冲参** **八味丸加牛膝五味杜仲鹿茸**

一治吏部張老因廉務煩勞得怔忡耳鳴諸症一醫以痰治湯痰斗許痰勢雖清而精神内奪也然殫心竭力日加後年忽患卒倒僵僕痰湧齁音勾鼾目竄口開手足彊直自汗如雨危在頃刻其脉則六部豁大無倫脫勢已具八九仍以挽脫為主人參三兩白术二兩附子一兩煎汁灌之日三劑夜二劑接辰進之以補接虛脫之勢得數日諸症漸減但僵仆不省如故此是工夫未到雖餘症稍平而失散之本元神氣未能歸復也不可少緩仍照前方倍進每藥後必灌膿米汁半鐘以保胃氣以

助藥力辰或勸入風藥痰藥清火藥此尤誤也保之不服散散之乎補之実难敢清之乎元陽欲脫挽之不及敢敗之乎蓋重用朮附者既壯人參培元之力而消痰去邪息火已在其中倘稍涉標治則峻補之力中反寓攻尅之性補藥無功尅削易見走淺之寳一兩虛症鮮起勞盃难矣更得二日始能言語稍省人事其齁鼾目竄仍在於早間陽分用大補心脾氣血藥如棗歸朮芎苓參桂味遠志之品下午陰分用八味作湯中參服至六七日後諸症漸平阜晨用生脉飲送服八味丸加杜仲鹿茸五味牛必五四フ日中服歸脾湯加减不踰月輕彊如故此不驅風而風自去不消痰而痰自除不舒筋而絡

自活正書所謂正氣得力自能推出寒邪故凡治危篤症候全在根本調理得力自然邪無容地

偏枯（半身不遂）**八味丸加牛膝杜仲**

一治李相國瘋賊功成風霜歷久乃患左臂強硬作痛上不能至頭下不能撫背（医以披星戴月通作驅風活絡為治無功）其大便圓如碑子六脉大而遲緩無神此係中氣久虛所以榮衛不能遍及股末乃成偏枯之象（若果以前年風霜豈止半身獨受我至於大便如碑子亦由中氣虛弱命門火衰運行不旋轉輸遲滯所以糟粕不能連接直下仁其斷斷續續猶螳螂之弄丸故雖圓而猶大也非如閉格津液枯槁

糞黑如羊屎仍以八味丸加牛膝杜仲塩湯下四五刀以培其本食遠用歸脾湯加甜薄官桂以壯其標元陽中氣一壯則運行之力乃健氣血充足自能遍及肢本而諸症自平

背疽 **八味丸間氣血藥**

一治司農蔣老向來寸彊尺弱因勞碌於九月間鼻衄大發雖愈而口渴殊甚由失血浩飲雖數十盃亦不厭口理應壯水以杜变生乃視爲忽畧至夏天忽見背上隱隱疼痛漸漸疼甚肉硬亦未知其爲疽也半月之餘背疼重極當脊少偏半寸外雖

不腫肉分堅寔碗大矣（由此久渴不治陰水日虧陰火日燥榮衛失調故書有腦疽背疽之豫防今雖不腫陰分已受傷矣）亟為托出陽分勿使陷入臟腑乃外用（大黄二兩芙蓉葉赤芍各一兩白芨白蘞各五錢八鷄子清調敷四圍以收之）内則滋陰水兼為解托（熟地山藥土貝母角刺天虫甲片生甘草連翹金銀之屬）其形腫巳成仍早空心服八味丸（五六）錢以培先天之水火食遠服大補榮衛又用排膿托裏以助後天氣血（人参生芪歸朮芍天虫甲片白芷金銀草節日二服）外以太乙膏（加男髮蓽麻乳沒煎膏粘）以嘘毒氣出外四圍仍數煎藥以杜散漫如是調理不旬日而掀腫日高四

圍紅腫日消疼痛日減苛重日輕已有膿勢仍照前加減每劑更加肉桂ㄱ餘更如此小腫硬潰膿而愈不大傷膿肉口渴諸症隨盡減退要知一切腫毒原非毒也乃氣血不和留結所致謂其氣血而毒自瀉勿以清涼解毒久傷胃氣其毒愈深

重痢 **八味以歸脾送** 一治王氏久患重痢當仲夏自肚上以致陰囊皆重衣厚褁稍薄則肚痛甚其兩足甚熱欲扇懶食勢甚危困脉則寸強関尺並弱此乃中氣久虛氣不升降陰陽阻隔似痢而非痢誤用香連苦寒

之劑以致抑遏陽氣於九地之下而中宮納氣藏陽之所反已空虛且久痢陰陽俱虛故足心之熱陰虛所致肚腹之寒陽虛所致中宮之陽宜温而補下陷之陽宜清而升理難並行但先去其中寒之阻滯使鬱遏下極之火自能上升仍大用附子理中湯（加五味以斂之）二劑肚寒足熱減六七分隨歸脾湯（加桂五味）煎湯送八味丸而愈

異夢　八味湯加五味牛膝　一治宛平王忽患一夢持重搬運甚覺困乏而醒醒來復狼狽而睡睡去其夢如

故醒而睡睡而醒一夜數十次醫用補心安神之劑無功更甚其脈兩寸甚紅有力此爲藥所誤也蓋寐者心神藏納於腎陰乃水火相見陰陽既濟之辰也心猶人腎猶舍今心陰不足惟火獨亢乃遂上炎之勢而失下交之象矣腎氣又虛不能升騰收攝離陰而失延納閉藏之職也人但知心火腎水而更不知離心坎腎乎離中陰乃真水也坎中陽乃真火也水火互藏其根故心能下交腎能上攝令兩虛乃成不交之象昧者復補心神愈增炎上之

勢安能使陽會于陰元神凝聚于內守靜功云神必附物精能凝神此至理也乃用重劑八味加牛必五味用燈心蓮肉作引煎服而安

失氣　八味丸加鹿茸五味補骨為丸

一治余老參藥久服或辰氣逆上攻或辰氣墜下迫小便大便二陰皆重失氣甚頻大便雖溏復甚不快脉細數無力要知中氣虛極陽氣不能外達伏於內而陷於下向服補中益氣殊不知愈升而氣愈滯況暑兼陳皮辛散便為走洩之端而反盗洩元氣矣豈不聞塞因塞用之謂乎但久

脹補氣而氣不長則未經補氣之根也夫以真火之源陽氣所藉為根根本不立氣從何生仍以八味（加鹿茸五味補骨脂）為丸冲參吞服於空心更以嫩芪（用防風三兩酒煮取汁拌炒一斤）白朮（炒二十四兩）附子（四兩）三味煎汁去渣熬膏以人參（六兩）收成細丸日中食遠吞服（四兩）芪能升托朮能固中參能補氣附能回陽四者共劑何虞虛陷者不為（振作發生乎服後平愈）

感冒 **八味**（去丹加牛膝作湯去丹澤加鹿茸虎脛杜仲作丸）

一治朱撫臺令壻常公因感冒醫以發解混投已五六十劑粒米不食

惟飲凉水而已下身寒冷而木漸致胸腹漸冷而寔遍身不知痛癢言語無音難以布息皆曰不治其脉沉微欲脱勢不可緩仍以參（三刄）附（三ソ）早晚各進一劑保守一線之元陽服後漸有煩燥漸漸即安數日脉稍起肢體之冷已非知前之徹骨又以附子理中湯（去草）早晚各一劑以温米湯壓之數日冷減神氣清爽乃早仍服理中湯至午後冲參送八味丸（去丹加灰）數日後骨痛不堪此陽回水解之象也（生也）調理半月始能薄粥後以八味（去丹澤加）

鹿茸虎脛牛夕杜仲作丸早晚參湯服五ヮ隨以加減十全間服日漸輕彊年餘始能鞍馬但每年常患腹痛幾死必服温燥藥而愈且尺脉常微自此病後得女甚多而易育得男甚少而難存可知寒凉遺禍不獨自己一身也又勸常呑八味丸久而有子

晨瀉　八味加兎絲五味補骨去丹澤

一治金紹公病晨瀉兩寸關俱弱沉無力兩尺沉微更甚曰少年得此不惟晨瀉小病難愈嗣育必多女少男辰診屢驗亦然不惟一紹公也乃以八味去丹澤加補骨三月五味二月兎絲四月作丸早晚

各服五六年載後各生男子可見陰陽盛衰之道誠為疾病安危之大關況媾精生化男女尤切陰陽之至理也故精要云以服肥健而多子信不誣矣

瘧疾　八味間十全

一治庠生瘧疾熱辰惡心胸脹倍常医指為痰食為患用辛熱投於壯熱辰不知庠生素有衄症涌血數斗昏暈不省冷汗凝珠四肢亦冷脉微欲絶仍以獨參兩餘煎汁灌之稍醒但嘔逆不止仍重用溫補始漸平復隨以八味丸間十全湯服逾月愈

重瘧　八味倍熟加牛膝五味

一治韓老夫人患瘧甚

重壯熱無汗六脉洪大而虛此汗生於陰腎為五液之主令六脉有陽無陰豈可更汗以促孤陽亡越乎仍以八味作湯加五味牛必每劑入熟地三兩煎碗餘浩飲滋水即所以發汗果汗而愈後繼用十全湯去芎草加棗仁五味以熟地換生地數劑精神大倍

紅白痢

八味冲參作湯

一治陳老紅白痢患甚審兩寸畧洪兩尺左関甚弱舌有黑胎此是肝不能疏泄腎不能閉藏真陰虧極於下真津燥竭於上水乘火位故赤舌變黑也失其本體之紅切不宜服黃連益增其害

仍以八味冲參湯大料而愈

久痢 **八味丸用人參米炒送** 一治馮老令孫滑泄半載臘肉瘦削後天脾胃之藥四君四物備嘗無效此是久痢不已後天之中氣固虛而腎家之下元亦不足閉藏之司失職勿事於脾而事腎可也乃以八味丸用人參老米炒同煎化服不一月而安

發喘 **八味丸用生脉送** 一治馮老令孫年三歲平辰面色㿠白顖門寬大顱骨解開無故一夜忽發微喘漸漸喘急出多入少兩眼送急理宜用上病療下之法仍以生

脉遲八味四五日平再以此調理二月顖顱爲之長滿矣可見用藥引子同一八味凡一用人参老米炒引至脾胃兩家而陽生一用生脉飲引至金水二臟而陰生奏功過別故云引子古人因義命名今人可不顧名思義

瘧病

六味加陳皮麥門五味

一治胡老年六旬抱病年餘六脉洪大有力似非陽虛也辰當夏暑月汗出惡風飲食如故精神日瘦痰多鼻塞半年以來糊塗過日此係陰虛不能歛陽以致陽浮陰散清濁不分邪火消

穀生痰不生血理宜養陰則陽有所依仍六味湯加鹽水煮陳皮麥門五味不三劑而精神清爽胡老謝云沉疴十月三劑四春

血淋

八味加麥門升麻紅花

一治李公年六旬淋病二年有尿甚利甚頻而且速有尿點滴難通甚痛如刀割肥液如膏脂或成條紫血病人尿欲自盡一医立通利止澁二方利尿澁之澁尿利之医者病者相依為苦按其脉兩寸洪大餘皆無力獨肝腎更甚此肝主疎泄腎主閉藏開闔自有專司奚待藥力為用裁今因肝腎俱病各廢乃職利則益虛其虛

溢則愈增其滯惟爲調補肝腎則各効乃戢而自愈矣仍以八味加麥門二ク升八分紅四分作湯冲參服使清者升濁者降瘀者化中氣一足升降自能肝腎既調開闔得所服之漸安後以生脉送八味丸午後加減歸脾間服而愈

妊病 腹痛晨瀉上炎下寒 **八味丸以補陰陽**

一治妊婦寸強尺弱腹痛晨瀉虛火上炎口乾煩燥飲食難化腰疼腿軟上熱下寒仍以八味丸服之而安母子俱安此謂應犯而犯似乎無犯若泥桂附墮胎之說反用苦寒不亦誤乎

藥不執方誠格言也夫以六八二方於胎門用以補陰補陽醫貫諄諄言之詳矣况凡者鮮也日漸吞服臟腑習以為常且有嘉萊護之桂附惟有煦濡長養上奉之益安有傷胎墜下之娛惟脉洪大有力血熱胃強為患者當從砂仁益母條芩之類切忌辛熱辛溫百病皆然豈只胎門另議哉蓋極寒極熱極補極攻之藥用之得當俱可救人但假熱假寒之症誤投寒涼攻削殺人莫可挽回假寒假虛之症誤用溫補則惟增燥悶而已故古哲云以不足之法治有餘則可以有餘之法治不

足則不可良有以也

姙病 **八味加五味牛膝** 一治媳婦向患吐血夜熱之症自受姙以來八味加牛五味必日服勿間至臨產胞水已下數日而未生六脉洪弦而帶堅體此陰道枯竭不能流通投以養血補氣催生之藥脉候如故必是真陰真陽真氣虧極泛行調補氣血不足以濟其至虧至虛之處也乃单用熟地三兩濃煎投服三次脉始洪緩而數但數日母子精力俱竭毫無運動疑為死胎亦以人參五兩濃煎用

好肉桂紫色味甜氣香為末少餘調服之後腹疼胎下少許又服又然乃進連三四劑始生其兒啼哭聲許而不能動衆人以為難生置之地間適太陽光照噴嚏聲啼而活猶火鏡之晶光在內始能借太陽相射便可從無形而化有形也再悟養生篇曰火傳也不知其盡也自古及今只是此火傳而命續由乎養得其極也信乎水火為生人之本而絕處逢生也

嗣育

八味倍熹 一治晚嗣人右尺重按無力是真陽

不足左尺不沉不石是真水復虛乃以八味丸吞服但陰虧已極另煎熟地升餘熬膏八月代蜜丸夫五臟精華輸納于腎腎為聚會闗司之所也然精生於血血少精何以生心主血故無子責乎心白髮責乎腎是以重嗣育者不特補腎尤宜養心更宜調和五臟使五臟精氣常盛而腎之充溢裕如也設四臟不榮將何物輸歸于腎乎故心屬火而配離離者陰也心中之水乃真水也腎屬水而配坎坎者陽也腎中之火乃真火也心腎互為其根陰陽互為其

用旣濟之道一得氤氳之氣方凝胚胎之象成矣再以養榮益衛五臟均滋作丸互用　其膏丸方

黃芪（嫩四月蜜炒同人參補氣爲君使陰從陽長無形生出有形）當歸（三月酒炒養血宣血使榮分調和從氣發生爲臣）棗仁（五月炒熟臨煎搗碎赤色象離香氣入脾酸性入肝故寧心益肝兼養脾土當歸共劑則當歸養三臟之血棗仁益三臟之氣爲臣）熟地（六月銅刀切片重濁象地甘溫養陰既滋眞水復潤諸經且同白朮共劑則朮補脾氣以存土德之燥性熟地滋脾陰柔潤以助土德之化育一燥一潤土得爲萬物之母更以爲臣）白朮（四月乳炒黃馨香和平得二儀之正氣甘溫氣雄補脾元中氣且共熟芍共劑則熟既專功壯水復滋脾土矣白朮專補脾家之陽白芍專補脾家之陰使土強而不燥則濕潤之功可得以爲臣）

遠志 二月甘草煎水浸用肉抱心而色黄故寧心養神
因生脾土味辛而淡故祛痰翳真精乃生辛散痰
從使心舍虛靈不昧下濟腎氣使真精藏固無遺用以
共劑心脾腎三經之藥彼此互效成功用以為佐

麥門 三月老米炒以水潤金愈燥母子失相生相顧之
義故同蒸朮共劑則上可以承母氣而不穷下可
以生子氣而有餘但性畧寒潤不能脾肺兩兼故同米
炒使土金并益以為佐

白芍 二月四刀蜜酒炒甘寒入脾酸斂入肝既佐當歸
和肝血復佐白朮養脾陰贊助之功可成以為佐

杜仲 三月酒炒前既大榮衛之中然氣血既充于裏可
下令此以運行經絡使筋骨強健乎故用此以運
行補益骨節之間復能接引諸藥深納於腎且與續斷
補續骨節之方則身体輕強可必

續斷 三月酒炒熟地專補腎精杜仲專補腎氣又補筋
骨之間續斷調理節骨之內各受其益以為使

牛膝三兩酒焙引諸藥強壯下元且使濁陰下降則清陽上升第恐走下太速酒蒸以緩之以為使
蓮子三斤去心衣水煎三十餘碗取汁去渣入前藥共煎取
三汁去渣熬膏再入後末藥　人參五兩性味和平大補元神可陰可陽用為君和黃芪調元於表裏和歸朮補血於陰陽協棗寧心同藏滋腎所向皆宜白茯苓茯神各三兩為末苓之滲淡借朮以青脾神能守因佐棗以寧心並以為使和膏為丸臨睡白湯
送一丸重四分或嚼真津送下由此觀之一以八味補先
天之不足一以膏丸補後天之發生則螽斯衍慶矣

求嗣　**六味加麥門五味**向有痿病歲餘三劑回春一治胡老尚未

有子望定风方原胡老脉係純陽宜投以純陰陰陽既和生子可必仍以六味丸加麥味足矣得數月其妻受胎口淡異常胸中煩亂其脉两寸右關太洪尺之左有神此精華下蔭惟宜養陰以濟之當無害也至五月懷雖稍長按之甚軟且倏左倏右腰間常動當腹毫無影響医者以爲鬼胎欲攻之下之先師力沮之臨月肚腹不疼而忽欲産胡老以爲母命難保　多有惡悔不知菓蕊香飄瓜蕊蒂落蕊極而下不疼而産此亦常也軀肢豐溢胞水有餘故當臍腹

不顯兩腰跳動非胎而何日生之精下蔭胎氣胃無真津故覺口淡何足疑乎言語將止羣僕前出告曰生一相公矣無疑胡老跪謝曰起老沉疴身受益矣係老後嗣澤及先矣

石疽　**八味間氣血藥**　一治趙太年七十左頰腫硬連及頤項耳後一片堅寔不熱不寒二月餘凡解毒攻托總無一效漸至口內出膿牙禁不開飲食減少精神日衰脉則沈大而空此係氣血大衰陰寒所聚即書所謂石疽是也若不得陽和何能外解內潰必至穿喉爛頰莫可療矣

且書曰老人氣血衰者不治乃用猪脂搗爛以治血肉以其氣相應以肉桂為末使鬆動血分以葱頭能透發食鹽能軟堅並許搗勻厚敷患處用生脉送八味丸食遠以参芪歸朮芎苓薄桂角刺金銀之類煎湯間服使真陽一得陰寒自解氣血冲和自逐毒調理三五日未硬化為熱軟漫腫收為高聳未者疼痛紫者紅活飲食進氣血長毒出外為腫為膿不再旬而愈可知諸病全以氣血為用水火為根而膿腫之成舍水火氣血將何以為攻托釀膿之具哉

感寒 **八味沖參加麥味牛膝**又用參朮膏炮姜附子姜汁凡仍用參湯送下

又用前八味加味大劑作湯服又用生脈送八味凡食遠八味歸脾間服

一治杜六郎年十九病篤因夏暑天偶雨霓背上受寒醫用發散和解不效乍寒乍熱兩耳下腫痛兩足微腫語言無力醫又清解自服芩梔後飲食八口即吐静則吐臧動則吐甚其吐辰作辰止其脈洪弦而尺弱有辰弦細而尺緊此藥之誤也蓋暑天感寒則中表之氣不固可知況此即晚年所得先天禀薄膏粱嬌臟筋骨柔脆只惟溫中調理縱有感寒而自散矣書云風則散之

寒則温之以風傷衛而在表寒傷榮而在裏今不温中而發散則於感寒無益徒令中氣愈虛寒鬱火升乘於空地故耳下腫痛誤指爲寔火清之使蓄下腎火之火既衰中宮之陽復損飲食豈得不吐書云凡自陰經受寒即真陰症非從陽經傳來便宜温之不可少緩又云内傷多外感少只宜温補不必發散正氣得力自能催出寒邪此皆治虛症受寒之要法今理當上病療下之法況欲温以散寒則無寒可散欲温中以開胃則耳頰之腫爲礙欲滋陰以

培本則中脘之道路阻塞計惟峻補真陽以達於下重滋真陰以繼其終用八味大劑加麥味必冲參服以助宣達之勢無如服後少頃即吐此寒涼傷中極矣仍製人參炮薑附子為末白朮熬膏入薑汁丸少少人參湯冲服得一二服不吐頃而腹痛大便矣此可喜也氣能下達吐可減也仍用前方作大劑冲參調服而吐止數日後可進薄粥隨以生脉送八味丸食遠又以八味去附加膝麥味大劑冲參服晚間照前方服一劑七八日後可

能喫飯半碗後以地黃歸脾二湯加減間服調理半月而康強

内傷 **八味湯去附加麥味膝**

一治彭老孫甫三歲雖初熱而神氣困倦脉按無力肌肉皖白兩頰微紅體雖熱而久按則和身有微汗此是禀氣最薄外感輕而内傷重先師論云但補其中益其氣而邪自退奈病家不從以葱頭半鍾飲之以衣覆之果潰汗不止四肢不收面青目閉不乳牙咬已成壞症勢甚再延先師曰此兒先天不足症在外感少内傷多法當温補而更汗之則

陽亡矣所以四肢僵僕不省汗者血也汗血內亡陰耗竭矣牙屬腎陰牙咬不止腎將憊矣急當重滋腎水之中以補真陽庶可保全乃以八味（去附加麥味必）作湯冲參（三ソ）服後其效如響可見內傷認作外感蔥湯薄被幾致傷生何況用藥發散尅伐寒涼者乎純陽（之子尚然何況元陽殘敗者乎）

小便閉

八味湯倍熟加麥味又復發用參桂方服

一治王老女孫年十三歲因幼辰乳母恐其溺床切切醒戒故數年來日行七八次夜行七八次便有似淋非

淋之象辰當初夏乃至不通危甚伊外祖以導赤利之初服少應久乃點滴不通其六脉洪數久按無神乃知憂寐驚怯勉强小便益耗真陰五臟既涸津液何生雖有氣化之至徒增脹悶之端仍以八味作湯加麥味每劑倍蓀二月取秋節降白露生之姜連進二劑以添五內之膏腴為小便之張本再進其渣以探吐之使上竅開下竅通果連進數次而愈後因失調正當盛暑其症復發伊外祖照前方法初只小腹脹悶欲絕一吐之後連胸膈脹悶難堪先師

云向者初夏傷氣未甚況暴病神氣未衰故所患者五臟滋腴不足補以滋腴之藥濟之足矣令當盛夏氣傷已極況日夜脹悶睡臥飲食俱廢汗多心跳精力甚疲雖有滋水涼藥若無中氣運行豈能濟乎且六脉今更洪大而空中枯甚矣二劑獨陰補滋腴之本斷不可少然必繼助中氣以運動則中焦氣得升降藥湯始能運行乃令連服前湯二劑果上下脹悶益甚乃以參一兩附三分濃煎一鍾溫服少頃自胸至小腹轆轆有聲小便連行

數次而愈信乎藥不執方因辰制宜也

淋病 **八味合二妙湯**（又補中益氣去陳柴加苓防）

一治年少勞心色慾過度乃患小便淋瀝甚脹而疼且二便牽痛脉兩寸沉微左關甚弱右關微滑濇兩尺弦此心肺之氣不足而不陷於肝腎肝腎之氣又不足所以一則不能疎泄一則不能閉藏中氣既虛則清陽不升而中宮鬱滯蒸爲濕熱滲入膀胱因乃成淋二便牽痛如癥症泄也乃令早服八味合二妙作湯使寒熱互爲向道去其濕

熱以澄其源日中食遠用補中益氣湯但心氣甚虛安敢更瀉氣乎乃去陳皮肝氣已弱安敢更瀉肝乎乃去柴胡其渣臨晚煎服探吐濁氣下墜必得滲淡乃加茯苓但恐去柴而升麻獨提無力乃加酒炒嫩防風以助之防酒炒者去其辛散之性益其升騰之力渣服探吐者蓋濕與熱與鬱者得一升發而自散况上竅通下竅自利也果服之甚效

八味合二妙湯

熟地八ㄱ山茱二ㄱ牡丹二ㄱ澤瀉一ㄱ山藥二ㄱ附子一ㄱ茯苓二ㄱ黃栢鹽酒炒蝎色八分燈心十根蓮子二十粒水煎八分空心服

加減補中湯　參三ㄅ　芪二ㄅ　棗仁三ㄅ　白朮一ㄅ半　茯苓二ㄅ　歸身一ㄅ半　草八分　升麻蜜酒炒四分　防風酒炒三分　姜棗煎服

偏枯　**八味加味勝**　一治于太老待人接物性最多情以致心神中氣日虛因患偏枯之症右臂浮腫或麻或痛兩足難於步履要知土虛則不能健運津液凝滯爲痿且水不歸源腎陰愈耗可消之乎脾陰不能克達四肢以致臂腫脚軟爲麻爲痛可散之乎陰水不足龍火上乘真陽益衰火不能生土以致脾胃皆虛可寒之乎

奈何醫者謂痰謂火謂風一一清涼尅伐發散而太老常常以身試藥忽一日昏迷不省痰喘遺汗六脉沉微此是中氣久虛不為峻補及肆尅削一旦水落石出大虛之症全現當急為挽救仍用人参（六月）白朮（四月炒黄）生附（一隻去皮薑炒）水煎一碇灌之汗漸收脉漸起喘定神清風痰因火上則用八味湯（加味必）引而納之繼以歸脾（去木香加桂味）以調補之每日早又吞十補丸自此不惟步履輕強更得一子甚強寔此兩年桂附之力太老先生始悟至理

疝痛　六味湯加橘核附子黄栢　一治王姓疝痛甚危其脉左三部弦沉而數此陰甚不足也右関尺洪大而重按有力此膏梁酒濕太過房劳真水消亡其濕熱下流肝木失所養筋無所荣濕熱内攻陰寒外遏乃激其木性鬱遏之火所以為疝為脹莫之可忍也仍以六味湯熟地二兩山茱ㇷ二以滋其肝腎牡丹ㇷ二茯苓ㇷ三澤瀉一ㇷ半以滲其濕熱加橘核ㇷ三以疏其木鬱製附一ㇷ半黄栢炒蝎色一ㇷ二分使寒藥為熱藥之向導熱藥為寒藥之向

導由是外寒散內熱除真水生雷火息而疼腫愈矣

骨痛

一治成章忽然左手足骨節疼痛漸至勢如刀割旦夕呼號繼而移至右手足皆遍矣（医用祛風活絡不效）又見其口燥咽乾（誤作流火用涼藥）神氣困倦六脉洪弦要知筋骨中滋養充足則血自榮於脉中氣自衛於脉外縱有強邪何能深入今脂膏不足筋骨失其養矣氣血久虛榮衛失其職矣試不思目能視手能握足能步得血也故人身上

先服養血祛風湯後以生脉送八味丸（加五味牛膝杜仲鹿膠）

下大小何物不仗此血而各効乃職令無此血而百戕俱廢仁其虛火冲燥愈疼而火愈升愈升而痛愈甚呼號傷氣忍痛傷血必至麻木癱瘓半身不遂而後已惟宜大用熟歸芍爲君銀花秦艽爲風中之潤品以爲臣少借甩勢以達藥力於筋骨又以牛必杜仲續斷之類爲佐使以調筋骨痛傷之所更用桂枝松節爲引以鼓藥性横行於兩臂服後疼痛稍減精神日疲加参朮以固中培元氣調理半月諸症悉平更令早晨以生脉送八味丸加必味仲膠日中仍服煎藥更得兩月而步履如常矣可知氣血冲和百達調暢皆仗此丹田

一點元陽運化而為之也故凡感寒中寒直達於裏以見裏無火也火即元陽也書云即須溫補不可少緩以幾希之火不急溫補以保之則為陰寒所滅者甚速也奈何世人更以風寒二字連串稱呼認作有餘之症始而辛溫發散繼而疏利開豁終而寒涼清裏不論陽風陰寒不究邪正實虛不詳火之真假名為術生實為傷生古方以射香全蝎殭蠶皆強悍之葷為對藥必於体壯邪實或可暫投倘不分虛實投之輕者損生重則絕命書云治風先養血血行風自滅又云祛風多過燥故首重血藥佐以風藥之潤品

癩瘡 **八味加膝味** 一治次孫因母久患陰虛發熱之症生下百餘日遍體癩瘡痛煩啼無寧刻乃用大劑生地當歸丹皮赤芍萆薢首烏土茯苓木通銀花連喬草節貝母鱉甲胡麻子作大劑乳母日夜進服數十劑瀑熱下趨兩足清水淋漓指甲皆脫近者皆傳染此先天胎氣已盡出又於耳後結一大毒此陰虧而無根之火乘虛凝聚於此矣仍以八味湯加炙味數劑後腫潰而愈愈後氣血津液衰涸瘡靨乾枯或愈或發難保內攻仍以羊肉四兩精不足補之以味煎湯入生芪四兩歸

身銀花各三ㄅ　蜜酒炒升麻四ㄅ　生姜三片　棗肉二枚　煎服十劑
而全愈可知氣血虛而変現諸症莫可名狀故其治者
爲得氣血虛寔之情陰陽変化之用脈氣真假之微者
雖病狀変現而出總不外乎陰陽氣血虛寔中以盡之
矣雖諸瘡諸腫有或腑或臟莫非陰陽氣血相滞而生
氣血有餘則紅腫高起而爲陽毒氣血不足則陰塌平
陷而爲陰毒丹溪云陰滞於陽陽滞於陰百病皆由此不但癰疽而已名之曰毒者氣血不和之
謂是以大腫大毒發於骨髓經絡者即於先天水火真

陰真陽求之可也至若諸瘡小癤即於後天脾胃氣血
求之又可也奈何近醫一遇瘡腫便作有餘之毒寒涼
清解輕者猶可重者氣血更傷每多內攻不救

吐痰 **十補丸間服歸脾養榮湯** 一治壯年仕宦失意鬱抑
成痰即經云嘗貴後賤名曰脫營以致氣血日消神不
外揚六脉弦細而濇或帶數凡飲食入胃盡化為痰必
吐痰涎盡出而始能臥不盡不已是以津液內耗肌肉
漸削惡寒懶食蓋以衛氣者充於皮毛溫肉分司開闔

黃芪助表達為臣

肥腠理以護衛於胱表也然營氣常隨衛氣而行所以潤皮膚榮脉絡者也今中氣既弱而且鬱則氣結聚而不宣何能亢溢開闔乎氣失護衛於表則惡寒血無氣運於表則胱槁中氣既虛脾失運用之健飲食既蒸鬱而為痰則不能復成津液而為血腸胃之腠理亦緻密而不通焉能津液流行於胱肉之表乎且津液既凝滯而為痰則痰愈多而津液竭也乃以人參保元固中為君當歸和血養氣白朮助脾燥濕麥門保護肺中之氣五味收斂耗散之金炙草和藥性能補脾

並佐為桂枝辛甘能調榮衛而溫肌達表麻黄輕揚力猛率領諸藥遍徹皮毛驅逐隨肖之伏

痰化作陽和之津液並為使但恐麻桂辛熱更耗營陰更入白芍白芍和平肝以抑辛熱之性即東垣

治外感寒邪內傷蘊熱而吐血者之麻桂湯余更入白术者取其性剛而並速必能固中而不為物所撓也引

子用生姜棗膠者取其能助脾而致津液更助神明而得清陽振作也生姜膠棗煎

服二劑後脉氣漸充有神痰涎漱吐以安仍繼以十補丸

空心吞服以補腎家日中以歸脾養榮加減調養心脾

氣血而安寧常富後貧名曰失精舍龍寺沙門奉書

玄牝發微卷終

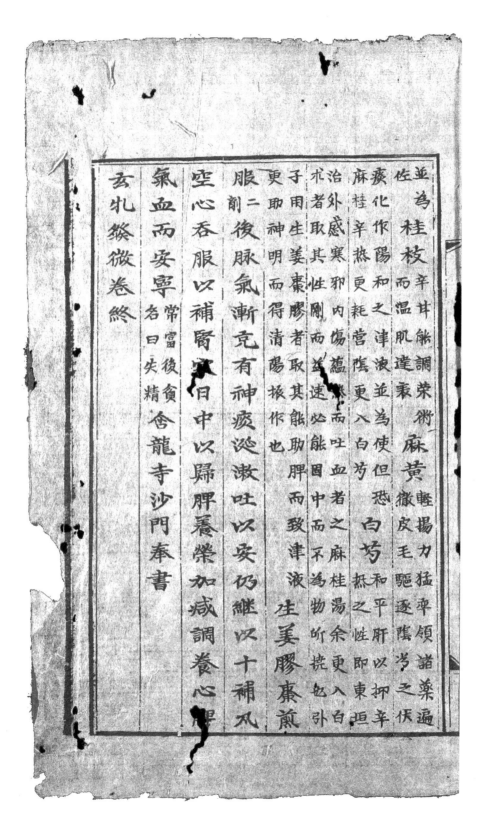

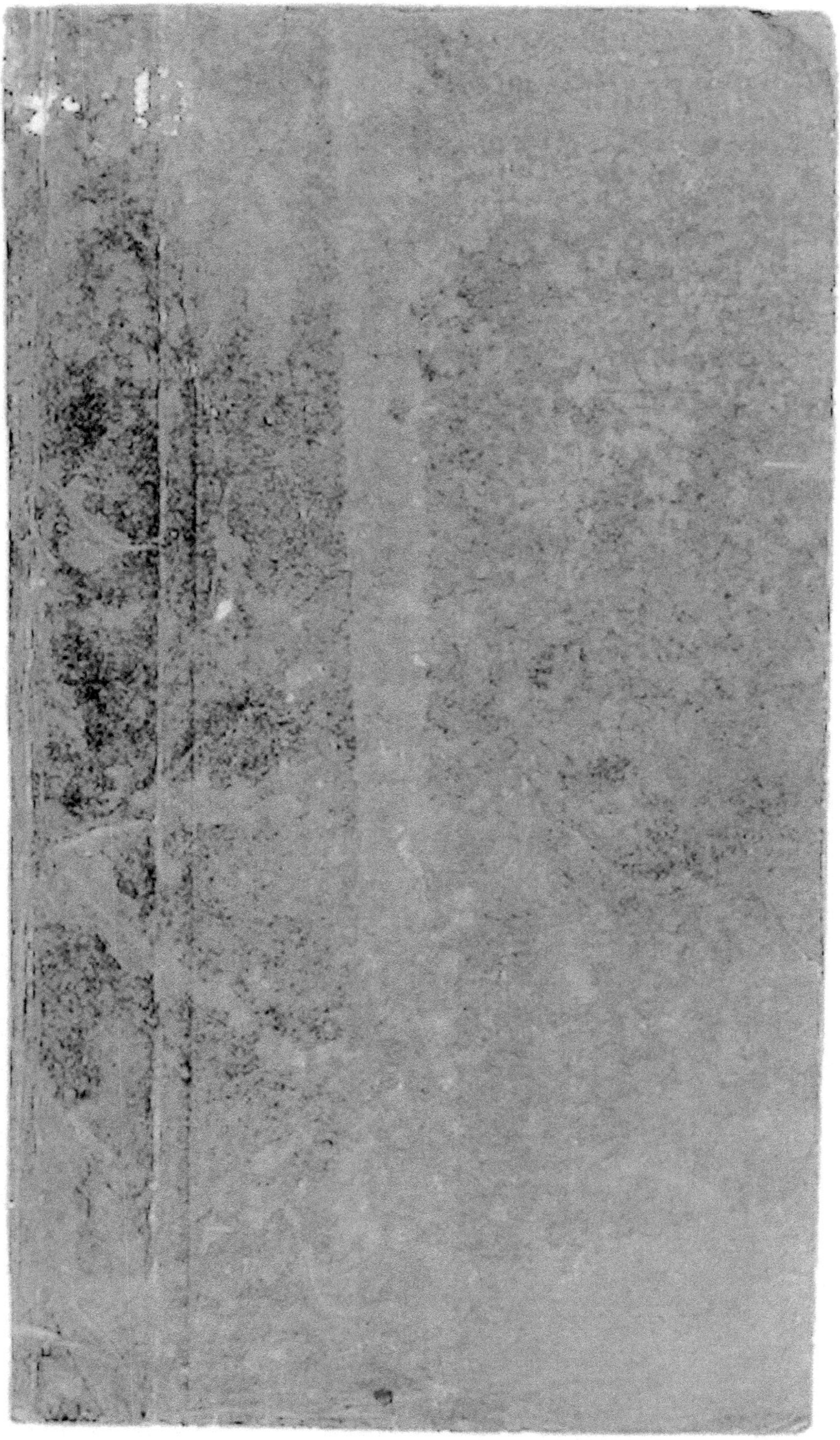

新鐫海上醫宗心領坤化採真全帙卷之七

海上懶翁黎氏纂輯　　後學唐鄗武春軒奉較

小引

易曰至哉坤元萬物資生脾胃土也其具坤柔之德乎故徵之化源論曰脾爲後天生化之机一身之祖百脉之源水穀之海五臟六腑皆受灌輸生精生血溉脉滋經調榮養術皆賴此中州也書云胃敗則精傷而陽事衰胃強則腎充而精氣旺又云非水穀無以成形體之壯此爲氣血之本與腎家水火之源同一人身根本

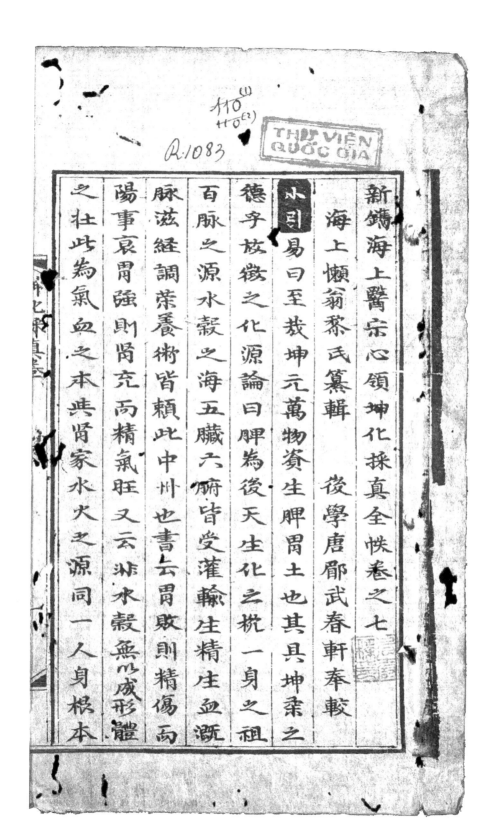

也而論者更有補腎不若補脾之說亦以脉有胃氣者生無胃氣者死可急培之以圖近功盡觀夫病不得食一以糯米入藥漸覺生機雖桂附蒸腐之力亦盱不及故以氣血有形之易知而較之水火無形之難識則一深一淺畧有差殊而百病之来總為要領缺一不可脾亦腎中之仲乎豈如昧者逐症尋求罔顧源本畢爲治頭治脚之伯術乎余粗知門户不免興怀既撰先天水火玄札卷復纂後天氣血卷顏之曰坤化採真蓋欲使

其徒知其趨向而採取其真機耳名雖文雅觀者其鑒焉　黎氏別號海上懶翁是引

目次

後天氣血必濡　四君子湯　四君方旨　四君加減

四君變法　異功散　六君子湯　香砂六君湯　十全人參散　四獸飲　又六君子湯　七味白朮散　四順湯　三白湯　六神散

四君所禁　四物湯　四物方旨　四物加減

四物變法　知柏四物湯　坎離丸　滋陰降火湯　玉燭散　二連四物湯　三黃四物湯　三黃補血湯　元戎四物湯　治風六合湯　治氣六合湯　神應養真丹　活絡四物湯　防風當歸散　四神湯　膠艾湯　艾附煖宮丸　婦宝丹　佛手散　三合散　生地黃連湯

氣血合方

八珍湯　八珍方旨　八珍加減　十全大補湯

十全方旨　十全變法　大補黃芪湯　大防風湯　溫經益元散　三痹湯　獨活寄生湯　大秦艽湯

歸脾湯　歸脾方旨　歸脾加減　歸脾變法　酸棗仁湯

目次終

後天文王卦位

巽四	離九	坤二
震三	中五	兌七
艮八	坎一	乾六

此是後天洛書圖上下左右縱橫各十五數以應龜度易曰天一生水地二成之故在先天卦位則乾數一以應天一生水而坤數八在後天卦位則坤數二以應地二成之而乾數六

圖說

或問易中先天後天之圖乾南坤北離東坎西此相冲對待圖等卦位於醫道中甚無所合而醫家動輒以先天後天

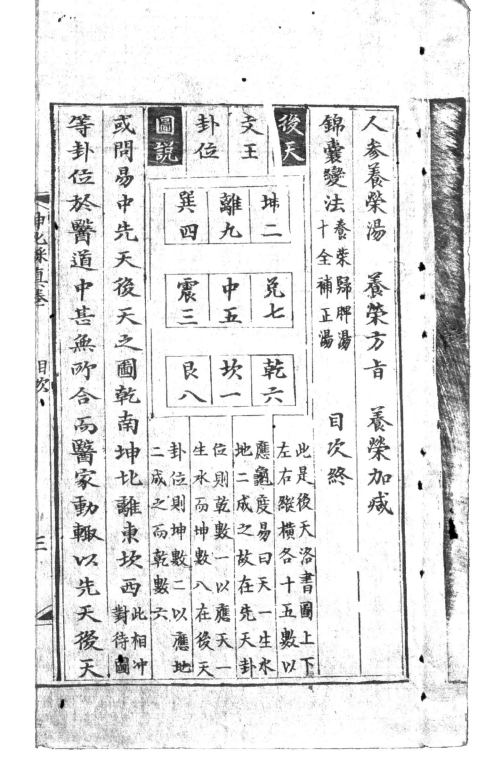

論何也趙氏曰醫家所謂先天者指一點無形之水天也後天者指有形之體自臟腑及血肉皮膚與夫涕涶津液皆是也既曰先天此辰天尚未生何況有乾南坤北八卦對待之圖乎曰然則伏羲此圖何爲而設也此排先天之圖乃中天八卦之圖天位乎上地位乎下日出乎東水源乎西風雨在天上山雷在地下人與萬物位乎中余嘗見邵子排列如此有先天八卦數其當今所用者止一文王後天圖出乎震齊乎巽相見乎離致

役乎坤悅言乎兌戰乎乾勞乎坎成乎艮以春秋晝夜十二辰相配因以是分陰陽決死生推而天文地理星相醫卜無一不以此圖爲則至於先天者無形可見即易中帝出乎震之帝神也者妙萬物而爲無言之神是也帝與神卽先天論中所稱真君主本係無形而强立此名以爲主宰先天之體以爲流行後天之用愚按對待圖說乾居正南乾變爲離也坤居正北坤變爲坎也離退于東一陰變一陽也坎進于西一陽變一陰也此

乃是有變無變有陰易陽陽易陰之玄理也醫家曰陽道寔而補陽速陰道虛而補陰遲亦此義也

身中後天圖說

即脾胃也

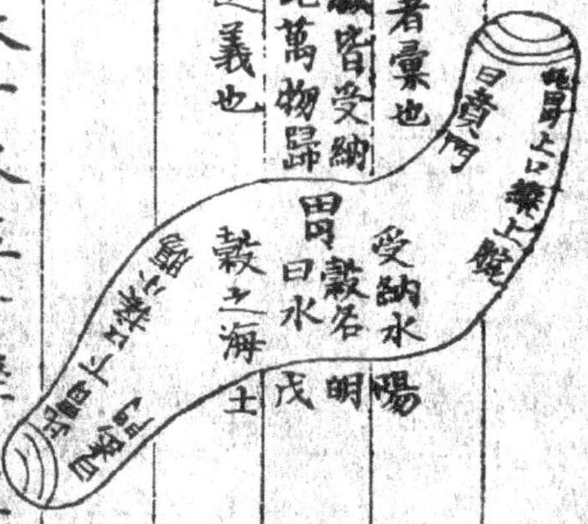

胃者彙也五臟皆受納焉此萬物歸土之義也

脾名為諫議官
太陰巳土

脾者卑也在胃之下脾助胃氣以化穀也脾胃俱從田字胃居正中田字亦中脾處乎右田字亦偏右

胃大一尺五寸徑五寸長一尺六寸橫屈受水穀三斗

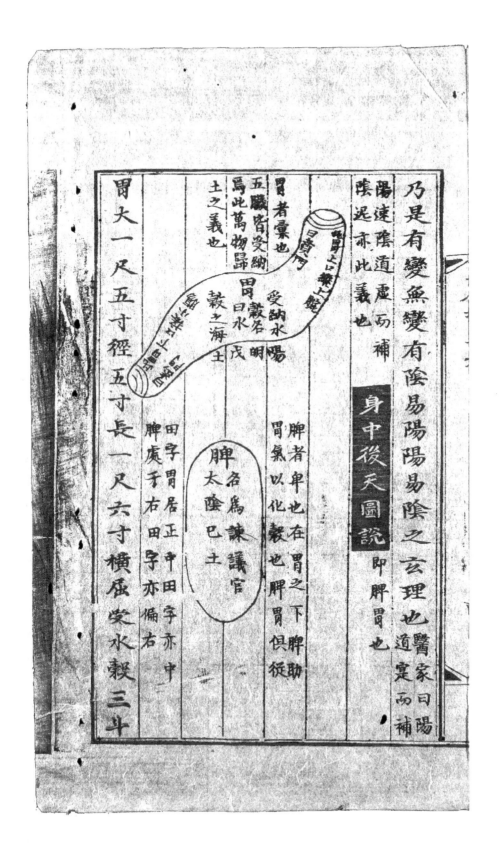

五升其中之穀嘗留二斗水一斗五升而滿飲食之精氣從此上輸于脾肺宣播于諸脉

脾形如刀鐮與胃同膜動則磨胃脾重二斤三兩廣扁二寸長五寸有散膏半斤脾主消磨五穀養于四傍

後天論

後天之根本脾胃是也土為萬物之母故曰脾胃為一身坤元萬物資之以生也萬物皆從土出金得土而生木得土而長火得土而息水得土而養故曰五行皆屬土萬物總歸脾經曰食氣入胃散精於肝淫氣於筋筋屬肝濁氣歸心淫精於百脉脉氣流經經氣歸

於肺飲入於胃遊溢精氣上輸於脾脾氣散精上歸於肺肺主治節通調水道肺朝百脈通精于皮毛肺金精行氣於腑下輸膀胱水精四布五經並行合於四辰五臟陰陽揆度以爲常也是知水穀入胃洒陳於六腑而氣生焉調和于五臟而血生焉行于百脉暢于四肢充于肌肉而資以爲生也夫胃大腸小腸三焦膀胱此五者天氣之所生也凡十一臟皆取決於胆故胆氣升則餘臟從之不升則爲飧泄腸澼天食人以五氣地食人以五味藏於胃以養五氣氣或乖錯形何以存故諸病多從脾胃而生也明矣其氣象天故瀉而不藏九

竅者五臟主之五臟皆得胃氣乃能通利觀之平人飲食入胃先從陽道（胃屬戊為陽土）而陽氣升浮散滿皮膚充塞頭項則九竅通利病人飲食入胃先行陰道（脾屬己為陰土）而陰氣降沉遠覺至臍下輒欲小便（脾胃病則當臍有動氣築築接之牢若有痛也由精氣不歸于脾不輸於肺則心火上攻使口燥咽乾是陰氣太盛也）當臍動氣按若痛故九竅不利也（東垣曰胃乃脾之剛脾乃胃之柔飲食不節則胃先病脾無所稟而後病勞倦則脾先病不能為胃行氣而後胃病然脾胃為十二經之海脾胃既虛十二經之邪不一而出故百病皆從脾胃生也）經曰陰精所奉其人壽陽精所降其人夭（脾胃

既和穀氣上升以滋心肺如春夏令行故其人壽陽氣最惡煩勞順之則固脾胃不和穀氣下流而乖辰肝腎痿而氣逆之漸也如秋冬令行故夭書曰脾胃一敗百藥難施傷寒危篤寸口難替猶診冲陽以察胃氣之有無冲陽脉應手則可回生故諸病以胃氣為本有胃氣則生無則死夫人之一身胃司受納脾司運化然胃陽主氣脾陰主血胃者衛之源脾者榮之本榮出中焦衛出上焦脾者坤土也主静屬陰胃者艮土也主動屬陽益衛以辛補榮以甘則脾胃健奈何世之治脾胃者不分陰陽氣血槩用辛溫燥熱助火消陰之劑脾胃為百骸之母餌藥俱先入胃然後散行各經而人每每輕視之急于求效者朝張暮李或補或攻倏寒倏熱定見不真湯丸亂投以

脾胃為戰場而百病叢生所謂養小而失大倘有知顧脾胃之氣又止知燥土利濕為主則曰土喜燥而惡濕則用草木香燥之藥不知此之入胃耗散真元消尅真陰雖不即病隱隱受傷矣經曰理脾胃調其飲食適其寒溫豈可肆為尅伐乎遂致胃火益旺脾陰愈傷清純冲和之氣變為燥熱胃臟乾枯土太過則為壞埠之土大腸澁結脾臟漸絕而死獨不思土雖惡濕而喜燥然土具坤柔之德必賴溫潤過元則焦沙之土不能生物求膏澤之沃土何以發育乃得化生萬物豈可徒知偏用辛熱之劑乎又腎開竅于二陰腎氣衰弱則火能蒸腐水穀世人但見泄瀉槩用參朮補之抑知參朮

乃補中州陽氣之藥不能補至陰閉藏主蟄之司也胃屬土而腎屬水腎瀉而用補脾則土愈勝而水愈虧況陽之火若無二陰斂納何能處於釜底而為蒸腐五穀之具耶世知白朮足以開胃健脾不知地黄生在中州得土氣最厚黄乃土色也顧名思義寔為健脾理脾之品且脾胃俱旺則能食而肥脾胃俱虛則不能食而瘦有善食而瘦者胃伏火邪也或曰血寔氣虛則易肥氣寔血虛則易瘦者也而更要重於補少火也少火寔為主氣之元此補母之法也蓋脾具坤順之德有乾健之運坤德或慚當補土以培其卑監乾健稍弛宜益火以

助其轉輸此土彊則出納自若火彊則轉輸不怠而人身中氣血精神津液筋骨臟腑百骸莫不稟氣於胃此胃為後天生化之源也夫脾胃之能運化寔由水火二氣之中非脾胃所能也火盛則脾胃燥水盛則脾胃濕（天運水火則物生也不可偏盛大旱物不生大潦物亦不生故照之以陽光濡之以雨露水火均平而物始生也）皆不能化物而生諸病如消渴之症乃火偏盛而水不能制火也水腫之症乃水偏盛而火不能化水也蓋人身水火原自均平偏者病也此重則彼輕之理也火

偏多者要補水以配火水偏多者須補火以配水皆制其偏而使之平耳非直去水去火之謂也夫治百病惟以脾胃為首重也然有扶胃而終不能進飲食者此不知補母之法也如人不思飲食此屬陽明胃土受病須補少陰君火宜用歸脾湯（此補心火以生胃土也）如人能食而不化此屬太陰脾土受病須補少陽相火宜用八味丸（此補胃火以生脾土也）此是補火之神功更兼滋水之妙用蓋水不得土藉何處以發生土不得水槁燥何能生物故土以

成水柔潤之德水以成土化育之功水土相資故脾稱太陰濕土全賴水以爲用（故曰補脾不若補腎正謂此也）故既補腎火以生土尤補腎水以滋土猶天之不雨地土不能濕潤則化生之令不行矣　一寔則瀉子之法乃因脾胃有積聚之火（脾寔）元氣未衰邪氣方張用破氣之劑以瀉肺金主氣之臟（肺乃脾子）若虛而伐之則愈虛（虛而虛）寒則沮絕其生化之源矣有不敗其氣而絕其穀乎世或以參朮[illegible]滯悶而畏之抑知經曰虛者補之勞者溫之又曰塞因

塞用書曰脾胃之病寔則枳寔黄連瀉之虚則陳皮白朮補之又曰寔火可瀉芩連之屬虚火可補參芪之屬且飲食初傷壅成濕熱元氣未敗黄連查麯暫其宜也但土喜煖而惡寒脾喜燥而悪湿胃喜湿而悪燥胃欲寒飲而悪熱腸欲熱飲而悪寒過劑則脾陰愈弱而轉化愈難矣至若病稍日久元氣必虚陽氣不充陰寒為祟反脹黄連無異入井而反下石耳經曰飲食勞倦損傷脾胃始病為熱中末傳為寒中則始宜清熱終宜温養灼然有辯豈無先後次第乎故

凡飲食不節起居不常則胃病氣短神少而大熱宜辛溫以除之形體勞役則脾病怠惰嗜臥四肢不收宜調補以健之又如面白無光瘦弱腹痛口中氣冷不思飲食而吐水者是胃氣虛冷法當煖胃扶脾故胃虛則有嘔吐不食之症胃寔則多痞滿內熱之虞

氣血論 夫肺為氣之主而腎又為氣之藏是以氣之出於肺而納之於腎也心為血之主而肝又為血之藏是以血之出於心而納之於肝也而人身有宗氣大命營氣

衛氣宗氣者元氣之宗丹田先天之大氣也其浮氣之不循經者為衛氣衛表而捍外健運周身之陽氣也其清氣之行於經者為營氣守固中根本中之[illegible]氣也天地間惟氣為升降而水則從氣者也書云天包水水流地一元之氣升降于太虛之中人身亦以為主而血則猶水不可以血為營氣也靈樞曰營兼化血以養生身則營氣始能化血焉可以血為營耶

元氣中氣穀氣清氣真氣陽氣沖和之氣春升之氣總皆胃氣之別名也人受水穀之氣以生名元氣者正生身之精也惟胃氣足以滋之藏精字從米從青是精亦由米之清氣生也夫運食者元氣者也生氣血者飲食也人之一身三焦之氣五臟六腑之脈統宗於胃故胃之一臟若病則十二經之元氣皆不足津液皆為不行四肢百骸皆失營衛九竅不通而百病生矣故治病者未有不以健脾胃為首重也而內外二傷尤注意

於補脾也凡善治脾胃者當惜其氣氣健則升降不失
其度氣弱則瞀滯也蓋脾胃一傷中氣不足穀氣不能
行以滋養心肺乃下流而乘肝腎而為痿厥氣逆之
衛也胃受脾濕而閉塞其下致腎間陰火上衝心肺也兩
宗氣尤為之主及其為病則為冷氣滯氣上氣逆氣氣
虛諸症變矣經曰諸臟憤鬱皆屬于肺又曰怒則氣上
喜則氣緩悲則氣消恐則氣下寒則氣收炅則氣泄驚
則氣亂勞則氣耗思則氣結九氣不同百病多生於氣
也夫人身所恃以生者此氣耳源出中焦脾胃總統于肺
外護于表內行于裏周流一身頃刻出入升降晝夜易

嘗有病于人哉及至七情交攻五志妄發乖戾失常清者化而為濁行者沮而不通表失護衛而不和裏失健運而不順氣本屬陽及勝則為火矣河間謂五志過極皆為火丹溪曰氣有餘便是火是也

榮者水穀之精也調和于五臟洒陳于六腑乃能入于脈也生化于脾總統于心受藏于肝宣布于肺施泄于腎灌溉經絡長養百骸故目得血而能視耳得血而能聽手得血而能攝掌得血而能握足得血而能步臟得血

而能縮腑得血而能發出入升降濡潤宣通取汁變化而赤為血也注之于脉充之則寔少之則濇生旺則諸經恃此長養衰弱則百脉由此空虛妄行于上則吐衄妄行于下則腸風衰涸于內則虛勞枯槁于外則消瘦移熱膀胱則溺血陰虛陽搏則崩中濕蒸熱瘀則血痢火極似水則色多紫黑熱勝于陰則發為瘡瘍濕滯於血則為癮疹畜血在上則善忘畜血在下則如狂凝滯于皮膚則為冷痺跌撲損傷則瘀惡內聚此皆陰氣一傷

諸變作矣夫血為榮（水穀之精氣也）榮行脉中滋榮之義也氣為衛（水穀之悍氣也）衛行脉外護衛之義也榮衛二氣周流不息何病之有一有窒礙則百病由此而生故血不可以不養衛不可以不温心為血之主肝為血之藏肺為氣之主腎為氣之藏人止知血之出於心而不知血之納於肝知氣之主於肺而不知氣之納於腎往往用藥南轅北轍矣書曰血者譬猶水也氣者譬猶風也風行水上有血氣之象蓋氣者血之帥也氣行則血行氣止則血

止氣溫則血活氣寒則血凝病出於血調其氣猶可以導達病源於氣區區調血又何益焉若夫血有敗瘀泥滯諸經壅遏道路則去其血而後調之可也然調氣之劑以之調血為兩得調血之劑以之調氣則乖張蓋無陽則陰無以生是以氣藥有生血之功血藥無益氣之理此陽得以兼陰陰不得以兼陽也如木香官桂細辛厚樸烏藥香附三稜莪朮之類治氣可也治血亦可也若以當歸地黃施之血症則可然其性纏滯有虧胃氣

胃氣虧則五臟六腑之氣亦餒矣故善用藥者必以助胃氣之藥助之書曰補血每以胃藥收功此深旨也（有余）

（論氣虛火虛血虛水虛症見畧同法可通治在導源卷參看）

後天陰血寒虛脉形症治法

陰寒 脉則不浮不沉和緩有神左關寸爲要

形則皮寒而寒雖暑月不離覆衣飲食稍凉便覺腹痛而泄瀉參朮姜附辰不絕口一有懲事呻吟不已

症則無熱惡寒（發於陰裏）朝輕暮重（陰寒者陰得陰彊也若辰作辰止或日或夜此正氣不能主持陰陽勝負交相錯亂矣）生内寒（陰盛陰歸陰分也）汗之（則愈下之則死）

【虛】【脉】則浮數無倫或芤而弦急【形】則不能吸（陰微也）不能仰（陰病也）【症】則生內熱（陰本寒陰虛則陽乘之經曰熱則傷陰）先熱後寒（陰不足也）午寒夜熱（陰虛火動）虛熱兩顴紅（陰虛於下逼陽於上也）足心如烙（虛火爍陰也）熱厥（陰氣衰於下也）氣不得下降為噎手足攣急（此陰急也）臍間動氣築築（真陰虛症切忌白朮）病其來緩去亦緩（此陰病也）病朝爭夜寧（陰虛喜陰助也若寔邪傷則反此）夜半病日中愈（是陰不和得陽而和）【治法】後天之陰虛補心肝凡[illegible]天之陰虛發熱總宜養榮歸脾等湯

血 寔

脉則左関寸有力右關和緩有神形則髪稠潤而有光聲音响喨身體充寔筋堅骨彊目明多記 症則多寔熱鼻衄浩飲痛不移處血痛也血寔者凝聚且痛且堅

虚

脉則左関寸無力或芤或濇 形則瘦黒或黒暗而滯而痿黄或面色青無血色毛髪焦黄指甲枯白性急多怒多渴而不飲書云血症不飲水以其病在下焦血分然血亦水也未有水虧而不渴也或煩渴頻飲久行久視久坐久立並不能酷嗜酸物大便燥結百骸裏有偏廢處諸痛受按

症則多陰熱蒸蒸頭目骨暈頭痛身重関節疼痛筋急責其無血肌木血虛則木氣逆上冲乾嘔不眠恍惚血不養心盜汗驚悸胸中膿膽口中涎溢喉乾咽痛或喉中如梅核咯之不出噎之不下婦人經閉血少及經月不調癥瘕等症夜病劇晝安靜多血病或脾陰虛

治法心肝血虛則宜柔潤之品以補之如歸地芍然用陰藥必用陽藥以佐之方能生血如參芪之類又當取重於精血有情之品如鹿麋茸膠河車人乳之類更不

若曰用資生之五味五味調和而血生焉又最宜顧盼於胃氣以資生化之源血病忌風藥以風藥能耗血也

後天陽氣寔虛脉形症治法

陽 寔 脉則右関右寸和平有力有神 形則皮熱而熱陽盛雖冬月身不須綿口常飲水好動色慾無度大便數日一行芩連知栢恬不知怪 症則發熱惡熱發於陽表朝重暮輕邪寔也陽逢陽旺也若辰作辰止或日作辰止或日作夜止此正氣邪氣不能勝負交相錯亂 生外熱陽盛陽歸陽分也 下之則愈汗之則死 虛 脉則右関寸俱衰或短濇

形則不能呼陽微也不能俯陽病也好靜

症生外寒陽本熱陽虛則陰透之經曰寒必傷陽先寒後熱陽不足寒厥陽氣衰于下手足舒緩陽病陽事衰責在胃經曰胃病則精傷氣不得下降為膈其病來速去亦速暮劇旦靜陽虛喜陽助也若寔邪之候則反此日中病夜半愈是陽不和得陰則和

治法後天之陽虛補胃氣胃病則陽虛後天陽虛火浮于外宜四君加歸芪或補中加五味或理中之類不宜用陰藥以滯脾傷胃夫陰虛火動之症用四物滋陰加玄參知栢法之常也此之陽虛火浮不用滋陰而反用陽藥者盖火之藏納不外乎水土之中此乃土虛不能藏

陽故用陽藥以補脾胃也

〔氣〕

寔

〔脉〕則右関寸盛而有神〔形〕則身肥壯色黒潤毛髪鮮黒骨肉相附聲大音長氣息粗壯耐寒暑小便踈利大便堅寔飧凉飲冷元氣勝穀氣而瘦經曰元氣勝穀氣其人瘦而壽〔症〕則痛無定處凡氣痛即無定処鬱病有病鬱者宜用開鬱行氣之藥邪初發如邪初發切忌補之之藥

虚

〔脉〕則右寸無力右関遲而短濇〔形〕則色青一云面色黄面瑩白枯薄形體虚弱瞳神光慧言語輕微而遲有聲無音或聲低氣短性滞四肢無力毛髪希枯多脱落皮

聚齒枯眼露喉結外畏風寒內怯生冷易脹易瀉肉不附骨身涼氣冷嗣育多女多怒（乃陽為陰勝多陽則多喜多陰則多怒）穀氣勝元氣而肥（経曰穀氣勝元氣其人肥而夭）

症 則土虛不能藏陽而以熱筋緩（責其無氣）而麻（氣虛則麻）晝病劇夜安靜（是為氣病或脾氣虛）

治法 脾肺氣虛則宜甘溫之品以益氣如參芪苓朮之類氣病忌香（耗氣）燥（不滋血）之藥

後天脾胃病治療大旨（纂要諸家論治方目脉旨）凡胃氣虛則耳目口鼻俱為之病其身熱頭痛耳鳴目眩沉重為熱傷

元氣故也而面熱者胃病也　脾胃俱虛則不能食而瘦或少食而肥雖肥而四肢不舉蓋脾寔而邪氣盛也故脾病則下流乘腎土尅水也令人骨髓空虛乏力足不能履地是陰氣重疊陰盛陽虛汗之則愈下之則死然非正發汗也用辛甘之藥滋胃當升當浮使生長之氣旺為助陽耳夫胃病其脉緩脾病其脉遲若火乘土位其脉洪緩更有身熱心中不便之症此陽氣衰弱當從升降浮沉補瀉法中用藥如脾胃久衰視聽半失淺

雨陰寒踰月不止泄痢體重肢節痛大便泄小便閉若用淡滲之藥病雖即愈是降之又降是復益其陰而重竭其陽矣是陽氣愈削而精神愈短故必用升陽之藥如羌活獨活柴胡升麻各一錢防風甘草各五分水煎稍熱服陽氣升騰而病去矣脾胃虛損目疾屢作身面目睛俱黃小便或黃或白大便不調食少氣短上氣怠惰醫以瀉肝散數行而前疾愈甚適當暑雨素有黃疸所以增劇也因立清神益氣湯治之茯苓升麻各二分澤瀉蒼

术防風各三分　生姜四分　此數藥能走經除濕熱而不守故不瀉本臟肺與脾胃本中氣之虛弱青皮一分　橘皮生甘草白术白芍各二分　此數藥能守本而不走經不走經者不滋經絡中之邪守本者能補臟之元氣黃柏一分　麥門人參各五分　五味三分　空心熱服此藥去辰令浮熱濕熱舉此二者以為症佐如脉緩病怠惰嗜卧四肢不收或大便泄瀉此濕勝也從平胃散若用黃芪建中則誤　如脉弦氣弱自汗四肢發熱泄瀉皮枯髮落從黃芪建中湯若用平胃則誤　脉虛

血弱於四物湯中摘一二味脉弱氣短從四君湯或湯或小便閉澁黄赤從五苓散去桂摘一二味俱以本症中加之如凝腹中劣悶此非腹脹乃散而不收可加芍藥收之如肺氣短促或不足者加人參白芍中焦用芍藥則脾中升陽而肝胆之邪不敢犯如腹中窄狹及縮急者去之及諸酸澁藥亦不可用腹痛者加白芍甘草稼穡作甘甘者己也曲直作酸酸者甲也甲己化土此仲景之妙法也五苓散治渴而小便不利無惡寒者不得用桂不渴而小便自利妄見妄

聞乃瘀血症用炒黃栢知母以除熱心藏熱而寢不利者導赤散或虛坐而大便不得者血虛也血虛則裏急或血虛氣弱而目睛痛者倍加歸身調理脾胃於此五藥中加减無不應驗然終不能使人完復蓋内以脾胃虛敗爲甚酒色次之

凡虛損脾胃易傷脾胃弱者是可半愈故農樵終勞苦而不成傷能納能化脾胃盛耳後或有因而再致者亦由督衝任三脉陰火爲邪脾氣虛弱之所致也法須依症加减如設方療病將素問之

旨也經曰至而不至是為不及所勝妄行所生受病所不勝乘之也至而不至者謂從後來者為虛邪心與小腸來乘脾胃也脾胃脉中見浮大而弦病或四肢發熱煩燥悶亂口苦舌乾咽乾蓋心主火小腸主熱火熱來乘土位乃濕熱相合故煩燥悶亂者四肢脾胃之末也火乘之故發熱飲食不節勞役所傷以致脾胃虛弱乃血所生病主口中津液不行故口乾咽乾也忌用五苓散之津液也宜補其母當於心與小腸中以補脾胃之根蒂也甘

温為君白朮苦寒為使黄連酸味白芍為之臣佐以其心苦緩急食酸以收之此治心火不能生土是為不及心火旺則肺金受邪金虚則以酸補之次以甘温及甘寒芩連知柏生地之類之劑於脾胃中瀉心火之元盛是治其本也火盛乘脾亦為不及心火者陰火也起於下焦其係於心心不主令相火代之相火下焦胞絡之火也元氣之賊也火與元氣不兩立一勝則一負如脈見洪大少渴而氣喘是火旺而氣夫衰也相火說自東垣乃素問之未發者也所勝妄行者言心火旺能令母實母為肝木也木旺則挾火而妄行故脾胃先受之或身體沉重走注脇痛蓋濕熱相搏風

熱鬱而不得伸附著于有形中也或多怒者風熱下陷於地中也或目病内障肝主血開竅於目也或妄見妄聞目起妄心夜夢亡人或寒熱往来或四肢滿悶或淋溲便難轉筋皆肝木太盛而為邪也或生瘈生痺生厥或中風或生惡瘡或作胃瘻或上熱下寒為邪不一皆風熱不得升長而木火過於有形中也宜柴胡為君防風甘草赤芍桂枝為臣豬苓澤左茯苓蒼朮知母黄栢活石石膏羌活川芎獨活細辛蔓荊子為佐升麻為使經曰惟有陽明厥陰不從標本從乎中治中乃不定之辭非外中之中也蓋厥陰為十二經之領袖主生化陰陽陽明為十二經之

海王經營氣血諸經皆稟之陽明厥陰共何經相併而為病酌中以用藥所以言此者發明脾胃之病不可一例而推欲人知病者皆由脾胃中也毫厘之失災害立至假如辰在長夏之令立方正當主氣衰而客氣旺之辰也後之處方者當從此法加辰令藥如長夏則補脾胃瀉陰火升陽是也大抵此法此藥發令陽氣升浮大禁滲泄滋陰之味有從權而用黃栢知母為督衝仁三脉盛也所生受病者由土弱不能生金反受土火木之邪而清肅之氣傷或胸滿少氣短氣者肺主諸氣五臟之氣皆不足而陽道不行也或咳嗽寒熱者濕熱乘其內也脾不克化鬱下而為痰變生咳嗽眩暈等症治宜人參為君白术白芍為佐橘皮青皮以破滯氣桑皮甘草木香檳榔五味為使桂枝桔梗為引用所不

勝乘之者水乘木之妄行而反來侮土故腎入心為汗入肝為泣入脾為涎入肺為痰為嗽為涕為嚏為水出鼻也自入則為溺多為惡寒（治宜乾姜為君白朮附子肉桂為臣茯苓猪苓澤左為佐使）一說下元土盛尅水致仁督衝三脉盛火旺煎熬令水沸騰而乘脾肺故痰涎唾出於口也下行為陰汗為外腎冷為足不仁身為腰脊背痹脚下隱痛或水附木勢而上為眼溢為（眼膀）為冷淚此皆由肺金之虛而（寡於）畏也夫脾胃不足皆為血病故九竅不通諸陽氣根於

陰血中陰血受火邪則陰盛陰盛則上乘陽分而陽道不行無生發升騰之氣也夫陽氣走空竅者也而陰氣附形質者也如陰氣附於土陽氣升於天則各安其分也今所立方中有辛甘温藥者非獨用也復有甘苦大寒之劑亦非獨用也以火酒二製為之使引苦甘寒藥至頂而復入於腎肝之下此所謂升降浮沉之道自偶而奇奇而偶也陽為奇陰為偶瀉陰火以諸風藥升發陽氣以滋肝胆之用是令陽氣生上出於陰分末用辛甘温藥接其升藥使之發散於陽分而令走於九竅也

升降浮沉說

天以陽生

陰長地以陽殺陰藏天氣旺於寅寅者引也立春少陽之氣始于泉下引陰升草木甲柝立夏少陰火盛草木盛茂此謂天以陽生陰長經言歲半以前天氣主之在乎升浮也地氣旺於申申者伸也立秋太陰之氣始得大伸自天而下降徹地則品物臧殞立冬少陰之氣復伏于泉下水冰地拆此謂地以陽殺陰藏經言歲半以後地氣主之在乎降沉也春溫夏暑秋涼冬冷正氣之序升已而降降已而升如環無端運化萬物故日履端于始序則不愆人之呼吸升降亦象天地飲食入胃氣先歸脾肺上行春夏之令以滋養周身乃清氣為天者也升已而下輸膀胱行秋冬之令為傳化糟粕乃濁陰為地者也損傷脾真氣下溜或下泄而久不能升是有秋冬而無春夏百病皆起又有久升而不降者亦病于此求之履端之義明矣　若飲食不節損其胃氣不能尅化散於肝歸於心溢於肺食入則昏昏

欲臥得臥則食在一邊氣暫得舒是知升降之氣不行者此也脾胃爲五臟主風寒暑濕燥一氣偏勝亦能損傷如脉弦風邪所勝宜胃風湯黄芪建中湯三白湯脉洪熱暑邪所侵瀉黄散或清胃散調胃承氣湯脉濇燥邪所乘八珍湯錢氏白朮散脉沉細寒邪所乘益元散人參養胃湯丸附子理中湯丸補真丸脉緩濡無力或脉隱伏正氣虛而損也四君子湯參苓白朮散脉緩太過濕邪自甚也平胃散一補用補中益氣湯一燥濕用

二陳湯 六君子湯 理中湯 生胃丹 單蒼朮膏

後天主藥

補中益氣湯

㊀李東垣製此方本以禦古老人枳朮丸化出加減皆有妙義法度甚嚴畏風寒表虛可以倍芪

嫩芪蜜炙一ㄱ五分 人參用布政參一ㄱ 陳皮留白炒焦七分 鷄脚朮一ㄱ五分 歸身一ㄱ酒洗蜜煮 升麻一ㄱ色蒼体輕 甘草蜜炙五分 柴胡用細輕者五分 生姜三片 膠棗二枚 水煎溫服

治勞倦七情飲食內傷 臟腑肢體皆稟氣於脾胃勞役飢飽傷其脾胃則衆體無稟氣而皆病矣 身熱四肢困熱 脾主四肢四肢熱即五心煩熱也火性上行若鬱而不達則焦燥真陰而飢膚筋骨皆爲之熱也若飲食填塞至陰則淸陽不得上行故不能傳化也經曰火鬱發之蓋火之爲性揚

之則光遏之則滅令為飲食抑遏則生道幾乎息矣能使清陽出上竅則濁陰自歸下竅而飲食傳化無抑遏之患矣東垣先生明于脾胃治之必至升陽俗醫知降而不知升是撲其少火也安望其有生耶

或皮膚不仁風寒而生寒熱心煩不安陽氣下降則陰火上乘故熱而煩非寔熱也

頭痛頭者諸陽之會清陽不升則濁陰上逆故頭痛其痛或作或止非如外感頭痛不休也

惡寒自汗陽虛不能衛外故惡寒自汗

懶於言語此氣虛也

動作喘乏

惡食脾虛也

脈洪大而虛或微細軟弱氣高而喘脾胃虛則火上于肺故為喘也

或渴不止金受火殘不能生水故渴

或內熱身痛或陽虛表熱宜本湯加麻黃根浮小麥升柴俱蜜水炒過斂其引參芪至表一云惟宜少用升柴若蜜炒則甘緩安能

達表者手東垣曰以手捫之而肌表熱者表症也只服本湯重者連進一日二服得微汗則已非正發汗乃表熱得陰陽氣和自然汗出也此主勞力純乎傷氣而肌表無汗也又法輕手捫之則熱重手按之則不熱是熱在皮毛血脈也若重手按筋骨之間則熱蒸輕之則不熱是熱在骨髓也若輕手捫之則不熱重手按之則輕熱不重按之而熱者是熱在筋骨之上皮膚血肉之下為熱在肌肉也臟肉間熱者正是內傷勞倦之熱也

或中氣虛不能攝血則血妄行而吐下或久瘧氣血兩虛則熱不止瀉痢脾虛久患清陽下陷則為瀉痢一切清陽下陷中氣不足飽悶痞積關格腹痛變現諸症一云兼治婦人室女經候不調血脈益氣之大法也

補中功能　經曰有所勞倦形氣衰少穀氣不盛上焦

不行下脘不通胃氣熱熱氣薫胸中故内熱調氣云勞則氣耗勞則喘且汗出内外皆越故氣耗矣喜怒不節起居不辰劳役過度一有所傷皆損其氣氣衰則火旺火旺則乘其脾土脾主四肢故困熱無氣以動懶於言語動作喘之表熱惡寒自汗心煩不安此謂劳役傷也當病之辰宜安心靖坐養其氣以甘寒瀉其熱火以酸味收其散氣以甘温補其中氣經曰勞者温之損者益之是也平人脉大為劳脉極虚亦為劳夫劳之為病其脉浮大手足煩熱春夏劇秋冬瘥宜黄芪建中湯治之此亦温

之之意也東垣補中湯當歸一味從建中湯得義補血湯得法是根於黃芪來也夫胃為水穀之海飲食入胃遊溢精氣上輸心肺下輸膀胱若飲食不節寒溫不適脾胃乃傷喜怒憂懼耗損元氣脾胃氣虛元氣不足而火獨盛火者陰火也起於下焦元氣之賊也壯火蝕氣少火生氣火與元氣不兩立一勝則一負脾胃氣虛則下流肝腎痿厥氣逆之漸名曰重彊陰火得乘其土位故脾症始得則氣高而喘身熱而煩脈洪大而頭痛或渴不止其皮膚不任風寒而生寒熱蓋脾胃之

氣下流使穀氣不得升浮是春生之令不行則無陽以護其榮衛遂不任風寒乃生寒熱此皆脾胃不足之氣所致也然與外感之症類同而寔異内傷脾胃乃傷其氣外感風寒乃傷其形傷其外爲有餘有餘者瀉之傷其内爲不足不足者補之如汗之吐之下之尅之之類皆瀉也温之和之調之養之之類皆補也内傷不足之病苟誤作外感有餘之症而反瀉之則虚其虚也惟當以辛甘温劑補其中升其陽則愈矣經曰甘温能除大

熱切忌苦寒損其胃氣是也○四藏有勞皆致內傷此獨主脾胃者蓋脾胃為後天元氣之本腎乃氣之根肺乃氣之主胃乃氣之生然非得先天之氣則不行此方特為此氣因勞而下陷於肝腎清氣不升濁氣不降故諸藥中以升為降升而降降而升以補益後天中之先天也心肺在上肝腎在下脾胃處於中州為四藏之主氣也中焦無形之氣所以蒸腐水穀升降出入乃先天之氣故用升麻使由右腋而上用柴胡使由左腋而上然非藉參芪之功則升提無力是方所以補益後天中之先天也人之一身脾胃為主胃司受納脾司運化一納一運化生精氣津液上升

糟粕下降則無病矣飲食入胃猶水穀在釜中非火不熟脾能化食全藉少陽相火之無形在下焦蒸腐始能運化也此辰若用寒涼之藥飲食亦不運化矣何者脾胃中之火土中之火也納音所謂爐中火爐中火者須頻加砂炭盂以熱炭溫養其火而火氣自存一經寒水俱成死灰矣將以何者蒸腐水穀以何者接引燈燭舉目皆地獄光景可不知溫養之義哉○補中者補中州也所以培後天元氣之本諸虛不足先建其中人生五十

以後降氣常多升氣常少若氣稟素弱內傷元氣清陽陷遏此爲聖藥○脾胃屬土爲水穀之海凡五臟生成惟此是賴者在賴其生發之氣運而上行故由胃達脾由脾達肺而生長萬物滋溉一身即如天地之土其氣皆然凡春夏之土能生能長者以得陽氣而上升升則向生也秋冬之土不生不長者以得陰氣而下降降則向死也故補中用升柴助升氣也參芪歸术助陽氣也此東垣之旨用甘溫以大補其氣而提其陷且諸臟有

陰有陽隂爲血陽爲氣氣虛不能斂納中宫之元陽血虛不能藏接下焦之雷火皆虛熱也故宜甘温益忌苦寒以傷胃氣○凡飲食不節起居不辰勞役過度胃中陽氣自虛胃損則不能納脾損則不能化脾胃俱損納化皆難元氣斯弱百邪易侵即真陽下陷而内虛生熱陽氣下陷則火虛上乘故熱而煩非寔熱也夫下陷發熱此陽虛自病奈何世人誤作外感而發散益虛其虛此不灼見風寒暑對症而施治乃見發熱便以爲外感之

邪即表汗解之抑知邪之所湊其正必虛故內傷者多外感者少間或有之縱有外邪亦是乘虛而入但補其中益其氣而邪自退倘有外感而內傷不甚者即於本方中酌加對症之藥而邪自解矣故東垣立此方專論脾胃饑飽勞役發熱等症便是內傷悉類傷寒切戒汗下以為內傷多而外感少只須溫補不必發散如外感多內傷少補中少加發散以補中益氣為主如內傷兼寒者加麻黃兼風者加桂枝兼暑者加黃連兼濕者加

養活寰萬世無疆之利此東垣特發陽虛發熱之一門也然陰虛發熱者十之六七亦類傷寒令人誤用發散而死則曰傷寒之法已窮抑知陰虛發熱大熱面赤口渴煩燥與六味地黃丸一大劑即愈如下部惡寒足冷上部渴甚燥狂或飲而反吐即加肉桂五味甚則加附子飲冷而全活

補中方旨

按補中湯專治饑飽勞役損傷脾胃或因飲食不調或因勞力過度或饑飽之後加之勞力或勞力之後加之饑飽皆爲内傷脾胃勞傷心火亢甚而乘其土位其次肺氣受邪肺者氣之本故用芪補肺固表爲君脾胃一虛肺氣先絶故用芪以益皮毛閉

腠理不令自汗以損其元氣脾爲肺之本脾胃既虚則肺金亦病故參草補脾益氣和中瀉火爲臣上喘氣短損其元氣參以補之心火乘脾土炙草之甘温以瀉火熱而補脾胃中元之氣書曰甘温能除大熱補土藏陽而熱自退非甘草豈能補脾而瀉心火哉若脾胃急痛及大虚腹中急縮者又宜多用惟中滿者減之

東垣曰參芪草瀉火之聖藥蓋煩勞則虚而生熱得甘温以補元氣而虚熱自退故亦謂之瀉朮燥濕强脾歸

潤土和血養陰爲佐凡補陽必兼和陰不然則陽亢矣
經曰憲者緩之朮苦甘温除胃中之熱利腰臍間血脾
胃氣虛不能升浮爲陰火傷其發生之氣榮血大虧榮
氣伏於地中陰火熾盛日漸煎熬氣血日减且盡覌夫
心主血血减則心無所養致使心亂而煩病名曰悗音每
悗者感而煩悶不安也故加辛温甘温之劑以生陽氣
血虛以人参補之陽旺則生陰血也更以當歸和血少
加炒枯黄栢以瀉陰火而猶煩熱不止加熟地黄補腎

水而火自降此甘溫能生陰生血之妙余有補中用當歸論在導流卷當深味之升以升陽明清氣右升而復其本位柴以升少陽清氣左旋而上行陽升則萬物生清升則濁陰降二味皆苦平味之薄陰中之陽引胃中清氣升於陽道及諸經胃中清氣在下升柴以引之引芪草甘溫之氣味上升以補胃氣之散解而塞其表又緩帶脉之縮急也

脾為坤土以應地氣地氣升而發陳之令布天氣降而肅殺之令行勞倦傷脾土虛下陷經曰交通不表名木

乃死白露不下菀槁不荣此言肅殺咸否之象人應之則變症百出東垣深達造化故立溫和之劑溫和者春氣之應養生之道也但以升麻提脾之右陷者從右而升柴胡提脾之左陷者從左而升地既上升天必下降二氣交通乃成雨露此補氣而生氣不竭矣方中用升柴者正以升發先天之氣於脾土中觀脾胃論中亦用先天無形者爲至如人受水穀之氣以生所謂清氣營氣衛氣元氣穀氣春升之氣皆胃氣之別名其義可見

矣補中之有升柴猶八味之有苓澤也陰陽升降立方深旨世所罕知加陳皮以通利其氣陳皮同補藥則補獨用則瀉凡脾氣亂於胸中者爲清濁相干故用不去白之陳皮以理之又能助陽氣上行以升散滯氣助諸辛甘爲用清升而濁降矣姜辛溫棗甘溫用以和榮衛開腠理致津液姜棗乃脾家正藥棗稱脾菓故凡脾胃藥必用姜棗古方每用姜棗者助胃氣行藥力也

夫先天後天安得截然兩分上焦元氣不足者下陷於

腎中也當取之至陰之下下焦真陰不足者飛越於上部也烏可不引之歸源耶是以補中湯與腎氣丸最宜並用朝服補陽暮服補陰互相培養

補中加減

方書加減有違背方旨與氣味不相合者並去之又附以經驗已見

一血不足倍當歸 述古以下

一精神短少倍人參 加五味子

一腦痛加藁本細辛

一頭痛加蔓荊 痛甚再加川芎

一腹脹加 枳寔砂仁厚朴木香

一胃寒氣滯加草豆蔻 木香益智

一冬月惡寒發熱無汗脉浮而緊加 麻黃桂枝如有汗脉浮而緩加桂枝芍藥

一肺熱咳嗽去人参加桑白皮嗌乾加葛根庇藥多燥葛根能升胃中清氣入脾生陰耳

一冬月惡寒發熱脉浮緊無汗加麻黄五分参芪各一ヶ

一風濕相搏一身盡痛加羗活防風藁本別作一服病去勿再服以風藥損人元氣也有痰再加半夏生姜

一頭痛有痰沉重乃太陰痰厥加半夏天麻

一腹痛倍甘草加白芍如惡寒冷痛加桂心惡熱喜凉是熱痛也停桂加黄連

一腹中痛惡寒而脉弦是木尅土也小建中湯主之蓋芍味酸於土中瀉木為君如脉沉細腹痛理中湯主之以乾姜味熱於土中瀉水為主

一臍下痛加熟地如不已乃火寒也更加肉桂凡小腹痛多屬腎氣奔豚故加之懶按此胛藥而欲兼腎恐不相伴燥潤取能同隊升降必有牽特況云腎氣奔豚而再提之益增其沖逆之勢偏既以小腹屬腎而偏用熟桂何不以腎家之正藥如八味而加斂納之需則下焦温而氣歸矣但以補中而用熟地似有別法姑録之以待能者或曰一氣湯白朮與熟地同用奚為可抑知人参大附既能於陽而又可於陰麥門牛必本滋乎陰更益歸乎陽如此媒引何憂其不相合哉

一腸痛或下腸縮急俱停升柴加白芍

一咽痛加桂有寒再加附

一咳嗽春加旋覆華欵冬夏加麥門五味秋加麻黄黄芩冬加不去根節麻黄

一濕勝再加蒼朮

一陰火加黄栢知母　一大便秘加酒醲大黄

一泄瀉去當歸加茯苓蒼朮益智

一惡寒寒甚加乾姜附子此温胃氣而衛氣亦温

經驗以下

一症見氣滯而腰疼倍升麻此由勞力氣滯於中焦書云氣滯則腰疼故宜升之方書加杜仲大不相侔

一脾虚滑瀉去當歸加白芍茯苓此芍能收斂苓能滲泄倘脾陷更弱當歸仍用酒炒三次以乾爲度

一脾虚食不化未至先天火虚者倍白朮少加乾姜附子以助運行之勢切禁枳麯查芽書云脾以化食爲能今所能者病當培之補之不可再伐其所能也

一午後發熱腹虚脹此乃後天土虚不能藏火火即氣加

附子五味歛氣藏陽則熱脹自清此熱非黄栢之可除此脹非沉香之可降

一大便乾燥小便短赤口淡口瘡腹中鬱熱善食易饑

頻頻少飲加麥門五味倍加熟地乾姜李辰珍曰熟地乃脾家正藥寔啟玄秘然觀古方凡補脾胃藥並不重用觀之金匱凡熟則減半必以土虛為礙也故余於補脾藥則用炒乾其馨香可愛書云脾愛香故諸香先入脾乃能每用輒效此可見諸陰藥久用必傷胃氣惟於胃火獨亢則生用為佐以助坤柔之德補脾之陰此余奉辰珍之遺秘作自家心得妙法

一至虛人感冒不可發表者切不可混用風藥如欲表

汗用酒炒黃芪蜜酒炒白朮少加大附以助氣化欲止

汗去當歸（汗生於血）加白芍五味（此特治虛人感冒故借此以發以收若衛氣虛極則禁用惟改用從陰引陽之法乃可耳）一半虛人感冒又挾內傷飲食欲發汗者酒洗生用黃芪生用白朮（補中惟曰助陽非發汗之品也然欲從陽引陰寔有不散而散之義人所罕知）

一瘧疾或虛瘧或久瘧寒多倍人參少加附子熱多倍當歸少加肉桂各量加半夏並以何首烏為君加煨姜膠棗及常山草菓截之（其效如神○此余自家心得之秘妙）

一感冒風寒不勝表散者或因房勞而後勞役感冒或勞役感冒而後入房加惡寒急加附子惡熱加（梔子治之）

一胃脘脹寔飲食不化大便燥結醫用四君加行滯之藥則脹痛稍减而燥結愈增再用六味加活血諸品以潤燥則燥僅少减而脹寔益倍宜補中倍升柴加木香以提陽氣此皆余之得心應手之常畧耳願智者觸類引頎難窮者意盡在不言中豈筆札之可形容哉

補中最宜 懶

按補中湯乃先哲專為陽虛發熱與本虛感冒內傷挾外感而設也陽虛則下陷猶陰虛則上升邪得乘虛故其要在升提陽氣使中氣旺則邪不攻而自退本

此滋氣血久服之濡何人不辯陰陽虛寔內傷外感一見發熱但投補中自以為穩當此不瞽之甚也觀方中白术補胃之陽氣參芪補脾而兼補肺歸補脾之陰血使土具坤柔之德方能生物炙草溫中且緩諸藥使中州得受其益但恐補藥之性多滯故又用陳皮以行之加升柴少許以為使一以行參芪之力一以提下陷之陽若用補中而廢升柴此深知補中之旨也故余臨症常用有最宜於補中者姑畧陳之以明所指

一虛人感冒者當酌加表藥輕重用之

一因勞役致損傷而得病者全無客邪感冒當量加氣血藥增損用之○一內傷飲食更挾外感者當分內外多少用之

一虛人傷食者宜量加消導藥補而行之若虛人已有平胃散此方禁用

一病後因勞而復發者隨所見症加對症藥借補為攻而治之

一陰陽易病者宜分寒熱治如寒加附子熱加梔子

一下脫下陷諸症者如泄瀉瀉如直射久痢脫肛小便頻墜胎下血諸症産後膓脫之類宜增損用各倍加升麻不宜倍柴

以上皆為對症然有上病治下下病治上以補為攻以攻為補又其法外也

補中兩禁 諸症古法所禁甚多疎畧余既陳所宜又補所忌曲盡精思辯解源底以畢補中之法

一上焦痰嘔中焦濕熱傷食膈滿者 痰嘔湿熱皆有相火火性上炎豈宜更升膈滿必中氣鬱不可升

一熱病初發裏急後重 後重者乃氣滯下也宜降之不可升之升則愈鬱降亦行也

一濕熱諸症 濕之傷人其病邪在下若升之猶引賊破家故治法惟宜滲利

一小兒諸病宜慎用補中 蓋兒乃純陽陽好上升而多升之必有孤陽之患

一胃中元陰虛者 夫脾胃喜甘而惡苦喜補而惡攻喜温而惡寒喜通而惡滯喜升而惡降

喜燥而悪湿補中得之然用之於脾胃元陽之氣不足者極當若用之於脾胃元陰之氣不足則恐不相宜以氣藥多而血藥少且有升提味辛之品陰虛者浮火易升虛氣易逆耳

一表不固而汗不斂者此衛氣虛豈可升柴又升散乎故從来補中非斂汗之劑昧者一見黄芪便窃炒升柴而服用然見無功反滋走洩此余經驗之旨也大凡斂固汗者惟於純静之需倘雜一毫鼓動則不能也

一外無表邪而陽虛發熱者盖陰虛不宜助陽且火性上炎可使之力旁乎

一陽氣無根而爲格陽戴陽者陽既無根而反升散之此益促其亡脫耳

一脾肺虛甚而氣促似喘者此氣虛無力歸源陰陽相離相散之際也斂之猶恐不勝豈宜發越

一命門蓄虛寒泄瀉不已者此辰下元僅存一線微陽耳若不固守更搬運以升之必至於尽矣端由誤認久瀉則升提之一句余屢見被

此害者常多雖欲諱誼奈得
此失彼之邪寔、矣

一水虧火炎而吐血衄血者此妄行之際只宜恬靜以鎮之切忌氣藥尤炎之焚豈宜抱薪

一四肢厥逆而陽虛欲脫者此危亡之候當急回其陽歛而守之勿以有參朮而不顧氣之疎表陳之泄氣歸之陰藥升柴之發越

一中氣虛極變為諸症者夫補中之設於勞倦感寒此陽虛痿癉此其最宜惟中氣虛甚者外則全無表邪寒熱之症則升柴之類大非所宜蓋升柴之味又兼苦寒又性皆專疎散雖曰升八脾胃柴入肝胆能引清氣上升然惟有邪者固可因升而散之使或無邪能不因散而愈耗其中氣乎即曰此方以補劑為主而惟藉升柴以引達清氣不知微虛者猶可出入大虛者必難假借當此之辰即純用培補猶恐不及而再兼疎泄安望成功且凡屬補陽之劑無不能升正以陽主升也用其升而不用其散則得補陽之大法此中自有玄機又奚必升柴之足賴書曰五勞七傷之人大忌柴胡者蓋能散者斷不能聚能泄者斷不能補而

性味之苦寒者亦斷非扶陽之品耳故曰元氣虛極者毫不可泄陰虛下竭者毫不可升真火衰敗者毫不可清凉余有補中辯誤在導流卷甚詳

補中變法

參朮益胃湯 ㈡ 東垣一變

治內傷勞倦燥熱短氣口渴無味大便溏泄一云溏黃 卽補中加蒼朮倍分半夏黃芩益智各三分

升陽順氣湯 ㈢ 東垣二變

治飲食勞役所傷滿悶短氣不思飲食食不知味辰惡寒 卽補中去白朮加草豆蔻神麯半夏黃栢○吳氏曰升柴辛甘升其清清升則陽氣順矣栢苦寒則降其濁濁降則陰氣順矣參芪歸草補其虛虛補則正氣順矣半夏陳皮利其膈膈利則痰氣順矣豆蔻神麯消其食食消

則穀氣順矣升柴味薄性陽順脾胃行于陽道以滋春氣之和又引參芪甘草上行充寔腠理使衛氣為固凡補脾胃之藥多以升陽補氣名之者此也

王氏曰但言補之以辛甘温熱之劑及味之薄者諸風藥是也此助春夏之升浮者也在人之身乃肝心也但言瀉之以酸苦寒凉之劑性味淡滲之藥此助秋冬沉降者也在人身是肺胃也

益胃升陽湯 (四) 東垣三變

治婦人經水不調或脫血後食少水瀉　卽補中加黄芩炒神麴

凡脱血益氣乃古聖之至法也故先補胃氣以助生氣之發生

補中加黃柏地黃湯 ㊄ 劉草窓变法 治陰火乘陽發熱晝甚自汗短氣口渴無味 即補中加黃柏生地懶按此方要在陰乘二字以晝甚為顯症若用此全方似有所礙當去升麻生地加牡丹倍柴胡加童便炒白芍蓋去升麻者恐助上乘也去生地者恐滋陰勢倍柴胡以升陽更可平肝加牡丹以涼血伐火炒白芍以斂陰清火余經用甚當

順氣和中湯 ㊅ 寶鑑变法 治清陽不升頭痛惡風脉弦微細 即補中加白芍細辛川芎蔓荊

調榮養衛湯 ㊆ 節菴变法 治勞力傷寒頭痛身熱惡寒微渴汗出身痛脉浮無力

即補中加羌活防風細辛川芎

調中益氣湯 ㊇ 東垣再变 治脾胃不調胸滿肢倦食少短氣口不知味心和則舌知味及食入反出 即補中去當歸白朮加木香蒼朮

調中補氣湯 ㊈ 東垣再变 治氣虛多汗餘症同調中益氣湯 即補中加白芍五味 補中湯純用甘溫所謂勞者溫之損者益之此加白芍五味之酸以收散耗之氣有發有收此東垣別開一路以廣補中之奴者乎

後天氣血必需

四君子湯 ㊉ 朱丹溪重在後天陽氣而立此方大補脾胃之要藥 人參 四刀補中益氣 白朮 三刀扶胃健脾 茯苓 二刀養心利水 甘草 一刀和中降火 右加生姜 三片 大

棗二枚水煎温服○治一切後天陽虛氣弱脾虛肺損飲食少思脾者萬物之母肺者氣之母脾胃一虛肺氣先絶脾不能健運故飲食少思体瘦面黄或枯白飲食减少則營衛無所資脾主肌肉故體瘦面黄此望之而知其氣虛也皮聚毛落肺主皮毛言語輕微此聞之而知其氣之虛也四肢無力此問之而知其氣之虛脉來軟弱此脾肺皆虛此切之而知其氣之虛凡形體薄弱氣短食少小便赤短大便溏泄之類皆宜扶胃降火治氣虛有熱又小兒脾胃不調之要藥

四君方旨　按此為手太陰足陽明藥也人參甘温大補元氣為君補五臟之元氣氣壯而胃自開氣和而脾自

化白朮苦温燥脾補氣為臣補五臟之母氣健脾消穀為脾胃諸虛之聖藥茯苓甘淡滲濕瀉熱為佐調五臟之清氣開胃厚腸又能佐參朮以滲脾肺之濕伐肝胃之邪使木不尅土水不凌土甘草甘平補中益土為使調五臟之乖氣温中健脾更令諸藥中緩使脾家得受其益四藥性緩不暴可助陽虛又皆甘温得中之氣味猶之不偏不倚之君子也故稱君子

四君加減 以下述古又附已見以補未盡

一四肢不舉 加陳皮半夏麥冬竹瀝

一驚悸不眠加生姜酸棗　一消渴不能食加木香藿香乾葛柴胡五味

一右半身不遂共痰厥暴死加陳皮半夏竹瀝姜汁　一陽虛加附子

一吐瀉加藿香黄芪扁豆如内傷停飲目眩去参减草加官桂如泄瀉不止加訶子荳蔻

一脾胃虛弱加官桂當歸黄芪　一胃冷加附子丁香砂仁

一脾困氣短加木香砂仁倍人参　一腹脹不思食加白荳蔻枳實砂仁

一實症胸膈喘急加枳實半夏枳殼　一咳嗽加桑白皮五味杏仁

一心煩不定加辰砂棗仁遠志　一心煩口渴倍人参加黄芪

一心煩無他症加麥門茯神蓮肉　一氣痛加玄胡小茴當歸

一氣塊加三稜莪朮茴香附子血痛可用　一腹痛加乾姜赤芍官桂血痛可用

一氣虛成痿加蒼朮黃柏黃芩濕症可用　一外感寒熱加麻黃桂枝

一三辰感冒加防風羌活　一風熱症加荊畀黃芩薄荷

一病後調理加陳皮　一潮熱往來加前胡川芎湯加木瓜葛根烏枚濕熱口渴亦如之

一小便不通加澤左木通猪苓　一大便不通加檳榔大黃

一病後虛熱加升麻柴胡當歸　一產難加麝香白芷百草霜

一小兒風痰加白附全蝎細辛　一疹痘已出未成加升麻葛根

一小兒體薄色青陽虛吐瀉後成慢驚加木香　一虛脹虛痞屬中寒

者倍朮少加炮姜附子有氣滯加木香土虛而氣不斂加五味大附若脹痞多從陰分發者此脾虛不足加當歸白芍五味

四君變法

異功散 ㊉㊀ 有攸攻 調理脾胃散逆氣 即四君加陳皮

六君子湯 ㊉㊁ 治氣虛有痰脾胃鼓脹食少以補劑治脹滿此塞因塞用是也加麥冬竹瀝治四肢不舉 即四君加陳皮半夏〇半夏燥濕治痰之本陳皮和氣泄痰之標標本既得攻補互行補而不滯攻而不峻故曰君子經曰壯者氣行則已弱者則著而為病此方壯其氣矣氣壯則升降自如清以奉上濁以歸下豈復

有物停留以著其臟腑者乎

香砂六君湯 治虛寒胃痛或腹痛泄瀉 即四君 加半夏陳皮香附砂仁有本砂仁作藿香

十全人參散 治虛熱潮熱身体倦怠 即四君 加陳皮半夏柴胡葛根黃芩白芍

四獸飲 治五臟氣虛七情兼併結聚痰飲與衛氣相摶發為瘧疾 亦治瘴瘧之症

即四君 加陳皮半夏烏梅草菓各等分 姜棗 煎服 又六君子煎

即四君 加黃芪山藥為病後調理助脾進食之劑加生姜酸早炒治驚悸不眠加竹茹姜汁治右半身不遂亦治痰癥暴死

七味白朮散 治脾虛肌熱泄瀉虛熱作渴五味柴胡治消渴不能食參朮葛皆生津 即四君 加木香藿香乾葛

四順湯 亦可蜜丸 治陽虛脉沉無

熱不欲見光腹痛下痢如陰陽未辨姑與服之若陽症便發熱若陰症則無熱即四君去茯苓加乾姜

三白湯 治虛煩泄瀉或渴爲調理內傷外感之奇方 即四君去人參加白芍

六神散附銀白湯 治小兒表熱去後又發者 即四君加山藥扁豆姜棗煎

世医到此盡不能曉或再用凉藥或再解表或謂不治表裏症俱虛氣不歸源而陽浮于外所以再熱症也宜用此湯加粳米煎服和其胃氣則收陽歸內而身凉矣若熱甚者加升麻知母名銀白湯

四君所禁諸症

寔為後天氣分之主藥無不專用奈人徒知所宜不知所忌余較自家心得以歷陳之

一陰虛火動諸症食若不進勢在必用則茯苓用乳汁浸白朮蜜浸暫服蓋陽藥多香燥陰血之所忌且陽旺則陰消勢難兼行余有論陰虛難補在導流卷滋陰接陽扶陽接陰兩相兼備誠衛生之至術平生之心得也

一小兒形體黑瘦單熱蒸蒸饑色痿黃津液枯竭腹熱中消體似乾柴多渴便燥哭泣無淚蓋小兒無陰此等症候全係陰虛倘徒認四君為小兒聖藥而混投其禍如反掌更甚於此凡小兒純陽當以陰配除脾虛濕滯多痰易脹易泄飲食不甘之外亦宜慎用以陽藥能耗陰故

余初医累此為前車之鑑遂急改轍自後臨啞科則留意於無陰二字首尾惟圖保全其陰使陽自化嬌嫩萌

芽多受其益寔開保生之一路耳余已詳論在樂生篇在物幼火卷尾一血虛諸症切不宜單服更耗其血夫氣藥有生血之功更有別法豈有槁燥之物而能受陰柔之性哉余已論氣血相須在導流餘韻卷一般新語當擇其所宜

四物湯㊂朱丹溪重後天陰血而立此㊀方誠為理血養血之要劑當歸四フ為君生地三フ為臣白芍二フ為佐川芎一フ為使一フ半水煎微温服治一切後天血虛日晡發熱午後熱陰熱蒸蒸足底熱陰血不足則生熱經曰血主濡之此皆濡潤之品故為血分主藥婦人衝任月事不調血黑血塊臍腹疼痛月經先期為寒為虛為鬱為痰丹溪曰經水者陰血也陰必從陽故其色紅上應于月其行有常故曰月經為氣之配因氣而行成塊者氣之凝將行而痛氣之滯行後作痛氣血俱虛也色淡亦虛也

錯經妄行氣之亂紫者氣之熱黑則熱之甚也今人見紫黑成塊率指為風冷乘之而用溫熱之劑禍不旋踵矣經曰亢則害承乃制熱甚則兼水化所以熱則紫甚則黑也或曰尾冷必須外得說或有之十中亦一二也寒則凝而不行既行而紫黑故黑非寒也崩中漏下調理失宜胎動不安下血不止及產後乘虛風寒內搏惡露不下小腹堅痛辰發寒熱等症又為調益榮衛滋養氣血與男子精血虛損發熱症宜用之女子以血為主而氣為之本氣順則血活氣滯則血死故欲活血當先理氣男子以精為主而血為之本血盛則精強血衰則精敗故欲益精當先補血故此方為男女並用

四物方旨　按此為手少陰足太陰厥陰藥也心統血脾生血肝藏

血

當歸通補脾心肝經辛溫苦甘為君為血中之主藥性味辛苦甘溫生血和血為攝血之本潤中除刺痛如刀兮三治全用活血各歸其經生地甘寒入心腎滋血為臣通腎入心經血中之要藥性味甘寒止臍痛補陰凉血為沃血之源能生真陰之虛一云水為血之源當以為君若欬嗽補精血替熟地白芍酸寒入肝脾斂陰為佐通心肝脾經陰分藥也性味酸寒主緩中破血止腹痛補脾陰斂肝血和諸血治血虛川芎辛溫通上下

而行血中之氣爲使入厥陰心胞肝經上行頭目下行血海血中之氣藥也鼓舞陰藥上行性味辛散止臍痛清陽和血行血滯于氣也此特血病而求血藥之屬者也若氣虛血弱又當從長沙血虛以人參補之陽旺卽能生陰血也輔佐之屬若桃仁紅花蘇木丹皮血竭者血滯所宜蒲黃阿膠地榆百草霜椶櫚灰者血崩所宜蓯蓉瑣陽牛膝枸杞龜板夏枯草者血虛所宜乳香沒藥五靈脂凌霄花者血痛所宜乳酪血縮之物血燥所

宜姜桂血寒所宜芩參生地汁血熱所宜苟能觸類而長
可應無窮之變毋後治陰虛于血藥四物湯亦分陰陽
血之動者為陽芎歸主之血之靜者為陰地芍主之血之
陰不足雖芎歸辛溫亦不用血之陽不足雖姜桂辛熱
亦用之與瀉火之法正治其治治相同吳鶴皋曰天地之
道陽常有餘陰常不足人身亦然故血者難成而易虧
夫草木本無情安能生血以地芍能養五臟之陰芎歸
能調營中之氣陰陽調和而血自生耳若夫失血太多

氣息纖微之際慎勿與之蓋四物陰類陰者天地閉藏之令非所以生物者也當重用參芪以固欲絕之氣故曰血脫者先益其氣否則川芎香竄反能耗氣氣血雙亡而死矣故凡虛損胃氣虛弱之人皆不宜用或問四物是女門耑藥于內亦有脾胃藥乎陽子曰隱潛脾胃治法人昧久矣脾經少血多氣當歸地黃生血灌溉脾土艮賊邪木來尅土芍藥能瀉木補脾肝欲散用川芎之辛以散之非制木補土脾胃之藥乎或問芍藥產後

禁用否曰新産氣血未平恐芍藥酸收作痛耳芍藥專治血氣痛新産正血虚氣弱之辰以酒微炒用之何害又血塊凝滯作禍不可泥於産後大補氣血放胆用之用玉燭散見下無妨推陳致新之義亦是補法只因産後大補氣血一語致精血敗而殞者多矣

四物加減

此皆方書備法姑盡陳之以廣擇用然其中最多雜乱藥情病症甚不相伴学者當細心推想勿以成規為印定

一如血熱欲凉心加黄連肝加條芩肺加枯芩大腸加寔芩胆加黄連膀胱加黄柏脾加生地胃

加大黃三焦加地骨皮心胞絡加丹皮小腸加山梔木通
一如清氣心與胞絡加麥冬肺加枳殼肝加柴胡青皮
脾加白芍胃加乾葛石羔大腸三焦加連翹小腸加赤
茯苓膀胱加活石琥珀○一勞心好色內傷真陰陰血
既傷則陽氣偏勝而變為火是謂陰虛火旺癆瘵之疾
宜加知栢○一血虛加龜板血燥加人乳
一血瘀加桃仁紅花韭汁童便行之一暴血加玄參薄荷散之
一血不止加炒蒲黃京墨一破久不止加升麻引血歸經

一肥人有痰加半夏南星橘紅　一瘦人有痰加黑梔子知母黃栢

一鬱症加木香砂仁蒼朮神曲　一血滯加紅花桃仁玄胡肉桂

一氣虛加人參黃芪　氣實加枳殼　一風症加羌活防風

一血燥加天門冬以潤之　一血虛腹痛微汗惡風加官桂

一陰虛火動加知母黃栢　一氣虛起昇無力而由於鬱滯者加厚朴陳皮　陽虛症諸陰藥宜去

一發熱煩燥不能睡卧加黃連梔子諸陰虛宜靜去芎倍芍

一虛寒脈微自汗氣難常息便清自調加乾姜附子

一中濕身體沉重無力或身凉微汗加白朮茯苓

一氣血上冲心腹脇下滿悶加木香檳榔
一臍下虛冷腹痛及腰間悶痛加玄胡苦練
一虛冷合參蘇飲有潮熱加地骨黃芩柴胡
一虛寒潮熱加柴胡地骨茯苓甘草蓁艽黃芩
一血風兩脇刺痛或腹中成塊加大黃華撥乳香
一血弱生風四肢痺痛行步艱難加人參沒藥乳香麝
香甘草五靈脂姜活獨活防風荊芥地龍南星附子澤蘭為末蜜丸鹽湯下
一嘔逆飲食不入加白朮丁香炙草人參砂仁益智胡桃

一咳嗽加桑白皮半夏人參生姜五味甘草

一午後發熱肢體瘦倦加生姜薄荷

一水停心下如微吐逆者加豬苓茯苓防已

一腸風下血加槐角槐花枳殼荊芥黄芩大腹皮白鷄冠花為末鹽湯下

一諸濕自痛加白朮為君天麻茯苓穿山甲為佐酒煎

一脚腫痛加大腹皮赤小豆茯苓皮生姜皮

一婦人筋骨肢節疼痛不可忍者去地黄加乾姜

一補血住崩加百草霜兔絲灰蒲黄龍骨

一去敗血生新血加甘草半君爲末密丸醋煎湯下

一婦人傷寒汗下後飲食減少血虛者合四君湯

一午後發熱肢體困倦月信不通加生姜薄荷

一經血紫黑乃熱血也加黄芩黄連

一經血淡色乃寒血也加官桂大附

一月事不調臍下多痛加黄芪倍芍藥

一月事欲行臍腹絞痛此血澁也加玄胡木香梹榔苦練打碎炒焦

一腹痛作聲經水不調不快加熟地一倍桂心半倍

一經水暴下腹痛加芩連如血淡脉遲為寒加桂附

一經血紫黑而脉數或先期而至為熱加芩連

一月水不調或多或少或前或後嘔逆心膨加陳皮黄芪

一經血凝滯腹内作疼加莪朮官桂五靈脂

一經閉加枳殼大黄木通山梔車前荊芥

一血寒加甘草烏梅柴胡柳枝桃枝

一月經久閉加肉桂甘草黄芪棗子姜黄木通紅花

一經血淋漓不斷或多或少赤白非辰漏下加黄芪栢葉阿膠甘草續斷

一妊娠傷寒中風裏虛自汗頭痛項彊身熱惡寒加桂枝地骨

一妊娠傷寒頭痛身熱無汗加麻黃細辛

一妊娠傷寒中風濕身熱頭痛加防風蒼朮

一妊娠傷寒濕毒發斑如錦文加升麻柴胡黃芩

一妊娠傷寒大便秘小便赤濁加大黃桃仁

一妊娠傷寒畜血症加生地大黃少用之

一胎漏下血加阿膠艾葉甘草蒲黃炒

一妊娠寒症面青焦悴不思飲食加陳皮枳殼白朮茯苓甘草

一胎動不安下血不止加阿膠艾葉葱白黃芪

一胎前咳嗽加枳壳甘草款冬半夏木通人参桔梗麥門

一胎氣冲肝腰脚痺行步艰难加枳壳木通連喬荊芥地黄姜活山梔甘草燈心空心服

一胎孕下血不止頭痛寒熱耳鳴氣血劳傷所致加黄芪生地荊芥赤芍乾姜

一欬温補下元加乾姜炙草　一臍下氣築築小腹痛加玄胡

一虚熱口乾加麥門黄芩　一虚渴加人参葛根烏梅天花粉

一虚而多汗加煅牡蠣麻黄根　一四肢腫痛不能擧加蒼朮

一血虚燥結合調胃承氣湯　一因熱生風倍川芎加柴胡防風

一肝経血熱加荊芥柴胡　一血風膨脹加木香枳壳紫蘇

一嘔加白朮人參生姜　一嘔吐不止加藿香人參白朮
一寒熱加乾生姜丹皮柴胡　一寒熱往來加炮姜丹皮
一大渴加生知母石羔　一心腹脹滿加枳殼青皮
一汗多加浮小麥　一頭痛項彊加人參黃芩
一虛寒似傷寒加人參防風柴胡　一敗血用歸尾白芍換赤芍
一婦人骨蒸加丹皮地骨　一赤白帶下加桂枝香附
一血崩加生地蒲黃　一出血成片加地黃藕節
一虛冷去血過多加阿膠艾葉　一血積加三稜莪朮官桂乾漆

一經血澁多加葵花紅花

一経血如黑豆汁加芩連

一経血不断加乾蓮房炒入薬

一月水不通加牛必紅花蘇木香附

一姙娠心煩加竹茹一塊

一産後虚憊發熱煩悶倍生地

一産後寒熱往来加柴胡麥冬

一産後悪露不行腹痛不止加桃仁蘇木牛必

一経血少而色和者倍熟地當歸

一経血過多別無餘症加黄連

一血滞不止加桃仁紅花

一姙娠傷寒咳嗽不止加人参五味

一産後虚労月久合小柴胡湯

一産後腹痛加枳殻肉桂

一産後悶亂加茯苓遠志

一産後腹痛血塊攻刺加艾葉没薬好酒

一產後被驚氣滯種種滯積敗血作病或脹痛痞滿或寒熱四肢疼痛加玄胡沒藥白芷爲末淡酒湯下

一產後血風乘虛發作與傷風頭痛者發熱自汗骨節疼痛加荊芥穗天麻香附霍香

一產後潮熱加赤芍柴胡甘草牡丹地骨

一產後眼病加細辛羌活荊芥菊花甘草木賊草決明石決明

一產後浮腫氣急喉中如鷄聲加牡丹荊芥白朮桑白皮赤小豆大腹皮杏仁半夏

一產後失音不語加訶子人参砂糖

一產後痢加乳香龍骨茱萸木香肉桂蒼朮牡丹白藏人参甘草澤蘭茴香蜜凡木瓜湯下

四物變法

知栢四物湯 二二

治陰虛有火卽四物加知母黃栢

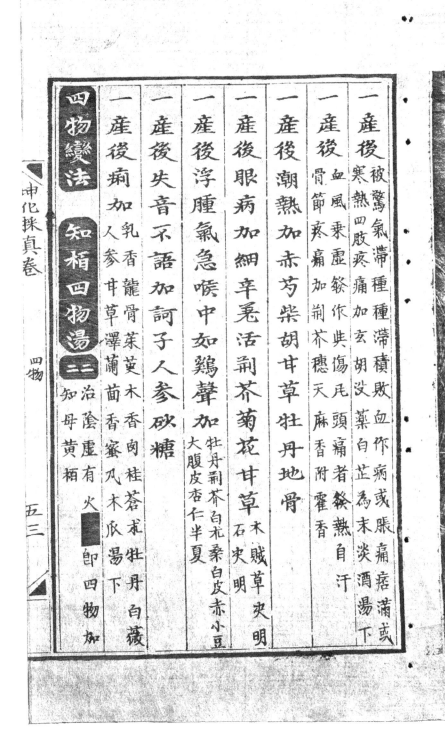

坎離丸 三二 治陰虛有火吐血 卽四物加知母黃栢麥門五味生地換熟爲末蜜丸

滋陰降火湯 四二 治陰虛有火 卽四物加知母黃栢玄參

丹溪論癆瘵主乎陰虛蓋自子至巳屬陽自午至亥屬陰陰虛則熱在子午前寤屬陽寐屬陰陰虛則盜汗從寐辰出升屬陽降屬陰陰虛則氣不降痰涎上逆吐出不絕陰虛則脈浮浮之洪大沉之空虛宜用四物加竹瀝炒黃栢龜板補陰降火之劑又須遠嗜慾薄滋味靜心調養以助之○準繩云丹溪論癆瘵主乎陰虛用四

物加知柏主之世人遍用百無一效何哉蓋陰虛火必上炎歸味辛溫非降火滋陰之屬芎藭上竄非虛炎短乏者所得地能泥膈非胃弱痰多食少者所宜知柏辛苦大寒雖曰滋陰其實燥血雖曰降火久而增氣反能助火至其敗胃所不待言不若用薏苡仁百合天冬麥冬桑皮地骨丹皮酸棗五味枇杷之類佐以生地汁藕汁人乳童便等如咳嗽則多用桑皮枇杷葉有痰貝母有血增苡仁百合阿膠熱盛增地骨食少增苡仁至七

八ク而麥冬常為主以保肺金而滋化源無不輒效又曰虛勞之病心肺空虛非粘滯之物不能寔也精血枯涸非濡潤之品不能潤也當用參芪地黃二冬枸杞煎膏另用青蒿苡仁宜熬膏合前膏汁并鹿角膠露天膏化服大抵苡仁百合之屬治肺虛參芪地之屬治腎虛蓋心肝屬陽肺腎屬陰故補腎即是補陰非知栢四物之謂也

玉燭散 二五 取小雅四辰和氣謂之玉燭之義治經閉腹痛體瘦善飢 即四物用歸尾白芍换赤芍加大黃芒硝甘草

二連四物湯 二六 治虛勞血虛五心煩熱熱入血室陰分發熱血室乃衝脈也衝為血海晝靜夜

熱陽陷陰中名熱入血海也 卽四物加川黃連胡黃連

三黃四物湯 二七

治陰虛潮熱 卽四物加黃栢黃芩甘草

三黃補血湯 二八

治亡血血虛六脉俱大按之空虛 卽四物加熟地黃芪

牡丹升麻柴胡二地補血丹皮凉血黃芪補氣升柴升陽氣旺則能生血陽生則陰自長矣

元戎四物湯 二九

治便結便秘僕損瘀血 卽四物加桃仁紅花

治風六合湯 三十

又用蜜风名補肝风肝以散為補一用蓁芃治風虛眩運便难 卽四物加姜活防風

治氣六合湯 三一

治血虛氣滯或血氣上冲 卽四物加木香檳榔

神應養真丹 二三 治肝經受風寒暑湿癱瘓不遂言語蹇澁及血虛脚氣 即四物加天麻姜活蚕瓜

活絡四物湯 三三 治半身不遂在左者屬瘀血瘀血不去則新血不生故用紅花桃仁活血去瘀加竹瀝姜汁者以痰無左右也 即四物加桃仁紅花竹瀝姜汁

防風當歸散 四三 治發汗過多而成痙症宜去風養血 即四物去白芍加防風

四神湯 五三 治婦人血虛心腹㽲痛㽲音鳩急痛也 即四物去地黄加乾姜

膠艾湯 六三 治婦人衝任虛損經水淋瀝及血虛下痢 即四物加阿膠艾葉甘草

艾附煖宮丸 七三 治子宮虛冷 即四物加艾葉香附童便盖水酒醋各分浸二日醋丸

婦寶丹 八三 治婦人骨蒸又治虛寒月水不調加丹皮地骨 即煖宮丸加阿膠

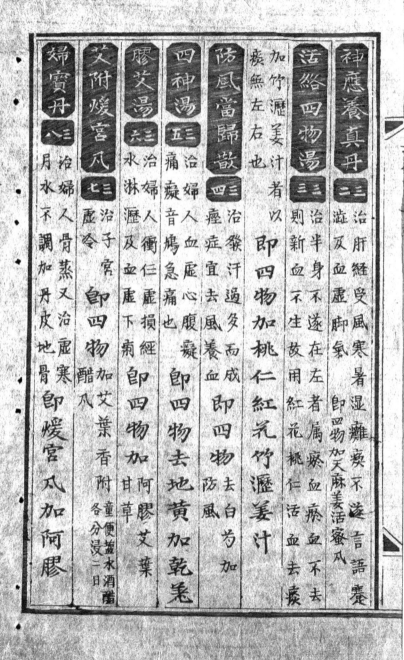

佛手散 九三 又名一奇散又名君臣散治産後血虚頭痛胎動下血服此即安子死腹中服此即下

即四物去白芍地黄為末

三合散 十四 治産後日久虚劳 即四物合四君小柴

生地黄連湯 一四 治婦人血風症去血過多因而燥渴循衣摸床撮空閉目揚手擲足錯語失神等症男子去血過多亦有此症 即四物フ各七 加防風尹一

梔子黄芩黄連フ各三 散末每服フ五 脉寔加大黄

氣血合方

八珍湯 二四 凡用八珍十全歸脾養榮等湯總加炮姜益能引氣藥入氣分血藥入血分也若用發表者用生姜温中用煨姜 人參　白朮　茯苓

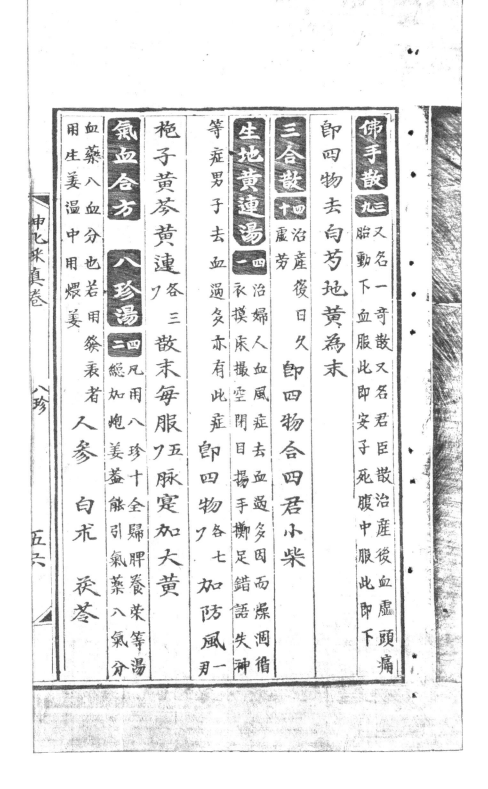

炙草　當歸　熟地　白芍　川芎　其分兩隨症定君臣方能尽善

治心肺虛損氣血俱虛心主血肺主氣及胃損不爲饑飽惡寒發熱煩燥作渴大便不寔飲食不進小腹急痛眩暈骨憒等症

八珍方旨　氣爲衛屬陽血爲榮屬陰此人身中之兩儀也純用四物則孤陰不長純用四君則孤陽不生二方合用則氣血有調和之益而陰陽無偏勝之虞矣經曰氣血和平長有天命是也

八珍加減　一氣虛多血虛火倍四君減四物去川芎　一虛中帶寒加肉桂甚加乾姜大附

一虛中帶滯加陳皮　一虛中氣不歛去川芎加五味

一血虛多氣虛少倍四物替熟地去川芎減四君去茯苓白朮用乳汁浸炒

一氣血兩虛挾外感切不宜以疏散爲事加黄芪肉桂

以補正則邪自除此治虛之要法如老人瘧疾與久瘧氣血俱虛當廣服以除之

十全大補湯 四三

即八珍加黄芪三ク助陽固表肉桂五分引火歸源治

勞虛困倦虛症蜂起發熱作渴喉痛舌裂心神昏亂眩

暈眼花寤而不寐食而不化凡氣血兩虛重者真陰内

竭虛陽外鼓諸症蜂起兼助陽固衛之要藥

十全方旨

丹溪曰寔火可瀉芩連之属虚火可補参芪之屬凡人根本受傷虚火遊行泄越于外若誤攻其熱變成危症多致難救此方以四物補血四君補氣佐以黄芪充寔腠理以肉桂導火歸源立齋曰飲食勞倦五臟虧損一切熱症皆是無根之火但服此湯固其根本諸症悉退王函曰虚者十補勿一瀉之此方是也内有桂朮甘草即小建中也加黄芪即黄芪建中湯也参朮苓草四君也芎歸熟芍四物也以氣血俱衰陰陽並弱

法天地之成數故曰十全

十全變法

大補黃芪湯 四四 治氣血兩虛自汗不止及陽虛發厥黃芪畏防風合用最能止汗 即十全去白芍加山茱五味蓯蓉菟棗煎服

大防風湯 四五 治鶴膝風 即十全加防風羌活附子杜仲牛膝

溫經益元散 四六 治汗後頭眩心悸筋惕肉瞤或汗出不止及下後不止身體疼痛太陽宜汗汗多則亡陽故有眩悸瞤惕之症陽明宜下下多則亡陰故有下痢身痛之症 即十全去川芎加陳皮

三痺湯 四七 治氣血凝滯手足拘攣風寒濕為三痺 即十全用桂心去朮加杜仲牛膝續斷細辛秦艽獨活防風各等分 姜棗煎服

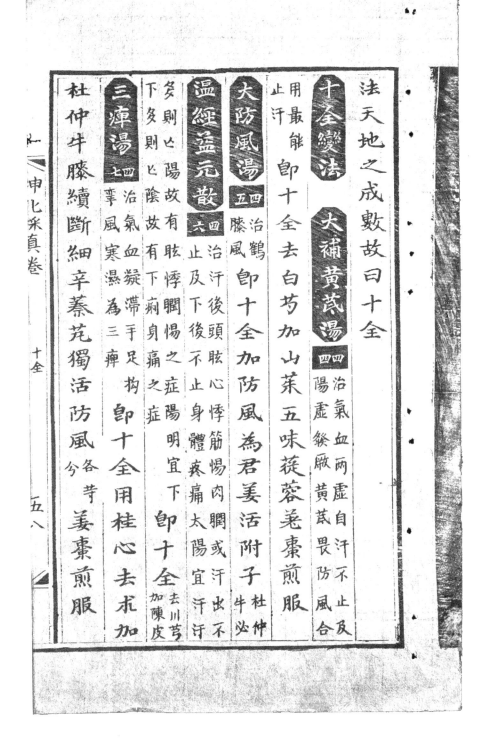

獨活寄生湯 八四 治肝腎虛熱風濕內攻腰膝作痛冷痺無力屈伸不便 即十全用桂心去芪朮加桑寄生如無用續斷秦艽防風杜仲牛膝各等分

大秦艽湯 九四 治中風手足不能運掉舌強不能言語風邪散見不拘一經者余有四君四物八珍湯辯誤在導流卷宜詳之 即十全去人參黃芪肉桂加石羔黃芩防風羌活獨活細辛每服一月雨濕加生姜春夏加知母心痞加枳殼

歸脾湯 十五 此嚴用和所製之方也凡用歸脾間八味宜午後服以血歸於陰分也若隨症單服者不在此例 人參 白朮 茯神 龍眼 棗仁炒各二分 遠志去骨 歸身各一分 黃芪炙一分半 炙草七分 木香生用脾虛甚用飯煨 姜棗煎服

治思慮過度勞傷心脾怔忡驚悸健忘有觸而心動曰驚無驚而自動曰悸即怔忡也上氣不足下氣有餘腸胃實而心氣虛故善忘心藏神而生血脾藏志而統血故思慮則兩臟受傷而血不歸經心不足是故怔忡驚悸健忘也盗汗汗者心之液也寤而不寐脾主思而藏血脾傷則血不歸經故不眠發熱脾主肌肉故發熱肢體腫痛或心脾腫痛体重便病遇甚則氣鬱而心脾作痛也體倦脾主四肢故體倦也嗜臥少食脾血不足脾氣不運大便不調或大吐衄腸風崩漏脾虛不能統血則妄行及婦人經月不調等症

歸脾方旨

参朮芪草之甘溫所以補脾神志棗眼之甘溫酸苦所以補心志苦能泄心熱棗酸能斂心氣心者

脾之母歸滋陰而養血木香行氣而歸脾既以行血中之劑又以助參芪而補氣木香與補藥為佐則補氣壯與滯藥為君則泄則能攝血血自歸經而諸病悉除矣一云治寔火之血順氣為先氣行血自歸經治虛火之血養正為先氣壯則自能攝血醫貫曰心主血脾統血凡治血症須按三經用藥棗志補肝以生心火神眼歸補心火以生脾土參芪草補脾土以固肺氣朮先入脾總使血歸于脾一云參苓芪朮草甘溫以補脾眼棗歸志濡潤以補心佐

以木香者以思慮所傷三焦氣沮藉其宣暢則氣和而血和且平肝可以治寔脾血之散于外者悉歸中州而聽太陰所攝矣故曰歸脾愚按此方專治後天陰血衰損心不統血肝不藏血脾不生血因而諸症起又治腹雖飢而口不旨食此能補少陽相火以生土又能補肝使木生火火生土是補土之外家故與八味參用之若以補接後天陰當去木香或暫用一二劑不可久需蓋火即氣火虛氣亦虛故辛香之品非利氣也倘有脹滿亦不宜偏用此氣不歸源妙在桂附引火土不藏陽要在參术補土寔非木香之所能也余有論歸脾當去木香在格言篇上宜參詳之

歸脾加減用和所製以治二陽之病發於心脾也原方

只参芪茯神草朮眼棗仁姜大棗薛氏曰加志歸以治血虚又加丹皮栀子以治血熱而陽生陰長之理乃備隨手变化通於各症無不神應曰歸脾者從肝補心從心補脾率以所生所藏而從所統所謂隔二之治蓋是血藥非氣藥也後人見薛氏得力亦漫浪効用之而不解其說妄為加减盡失其義即有稍知者亦只謂治血從脾籠侗雜健之說雜入温中劫陰之藥而嚴薛二家之旨益晦四明高鼓峰熹於趙氏之論而獨悟其微謂

木香一味本以噓血歸經然以香燥反動肝火而乾津液故其用每去木香而加白芍以追已散之真陰且肺受火刑白朮燥熱恐助咳嗽得芍藥以爲佐則太陰爲養榮之用又配合黃芪建中龍性乃馴惟脾虛泄瀉者方留木香以醒脾之虛挾寒者方加桂附以通真陰之陽而外此皆出入於心肝脾三經甘平溫潤之藥濟生之法殆無隆義古人復起不易其說也

一火旺加山梔丹皮

以下傍求古意更述自家經驗

一氣虛易生腫脹去木香蓋香能耗氣且味苦下氣最捷雖有寔症亦可暫不可久若久服則脹滿更生升極則降也

一血衰胃脘乾枯辰辰乾嘔必関格之漸加熟地

一陰虛寒熱去木香加山梔柴胡如熱甚加丹皮寒甚加桂

一純補心脾陰血去木香加桂心以治癃瘓間服八味

一所圖不遂氣鬱而致病者去木香倍加山梔貝母或氣下陷加酒炒升麻忌用補中益氣湯

一陰虛不眠加山梔二竹葉　一血虛經滯腹痛加五靈脂紅花桃仁

一氣虛浮越者忌木香加白芍宜與八味間服　一血虛腹痛加白芍

一血虛陰熱去木香加桂心　一火虛加肉桂當共八味同服以培先天之根

一欬偏補心血者去木香加蓮子

歸脾變法

酸棗仁湯 一五　治虛煩不眠　即歸脾去朮木眼加茯苓陳皮入蓮肉姜棗煎服

人參養榮湯 二五　白芍一ク半　人參　陳皮　黃芪　桂心

當歸　白朮　炙草　熟地　茯苓各七分半　五味炒杵　遠志

各五分　姜三片　棗二枚　水煎服　治脾肺氣虛榮血不足氣短食少

無味作瀉　經曰脾氣散精上輸于肺此地道上升也肺主治節通調水道下輸膀胱此天氣下降也

天地之氣交通故於象為泰脾肺氣虛則上下不交而否榮血無所藉而生肺虛則氣短脾虛則食少

驚悸健忘寢汗發熱必惡寒心主脉脉屬榮榮虛血少則心失其養故驚悸健忘浸汗發熱身倦體黃臟瘦色枯毛髮脫落肺主皮毛脾主肌肉虛火盛故肌瘦色枯毛髮脫落夫陽春至而物榮肅殺行而物槁脾為坤土肺屬乾金氣虛則上下不交陰陽痞膈故面黃肌瘦亦猶物之槁小便赤澁亦治發汗過多身振脉搖筋惕肉瞤音純肉動也汗為心液汗即血也發汗過多則血液枯涸筋肉無以養榮故有振搖瞤惕之症

養榮方旨

熟歸芍養血之品參芪苓朮草陳補氣之品血不足而補其氣此陽生陰長之義且參芪五味所以補肺肺主氣氣生血草陳苓朮所以補脾脾統血歸芍所以養肝肝藏血熟以滋腎腎藏精精血相生

志能通腎氣上達于心桂能導諸藥入營生血五藏交
養互益故能統治諸病而其要則歸於養榮也
一云參味溫其肺芪苓甘朮溫其脾陳芍溫其肝熟桂
溫其腎歸志溫其心溫者春陽之氣也春氣行而一身
之中有不欣欣向榮者乎故曰養榮湯
立齋曰氣血虛而變現諸症莫可名狀勿論其病勿論
其脉但用此湯諸症悉退喻嘉言曰方内皆心脾之藥
而云肺虛誤也養榮原不及肺愚按肺主氣凡補氣藥

皆是補肺氣旺自能生血即此便是養榮便是補心補脾理寔一貫古方補血湯黄芪五倍於當歸而云補血豈非明症乎况五藏互相灌溉傳精布化專賴相傳之功安得養榮不及于肺也哉又按生脉散係保肺藥也而云生脉者脉即血也

養榮加減

一此方能使地氣上升天氣下降凡脾虚土不生金而肺損小便或秘或數並皆治之秘加牛膝數加益智

一有治血虚人感冒寒熱似瘧加柴胡牡丹去五味

錦囊變法

養榮歸脾湯 三五 治一切勞傷發熱咳嗽吐血似癰非癰懶食倦怠寸沈尺弱諸症

熟地八ク 棗仁二ク 白朮三ク 白芍一ク二分 茯苓一ク半 牛膝一ク 麥門二ク 五味六分 肉桂八分 燈心 蓮子 水煎溫服

十全補正湯 四五 治心脾陽氣不足五藏氣血並傷自汗惡寒身熱腰背疼痛感冒辰氣似癰非癰勞傷發熱並用

人參一ク半 炙草五分 棗仁一ク 當歸一ク二分 白朮二ク 白芍一ク五分 茯苓一ク五分 杜仲三ク生用 續斷一ク二分 牛膝二ク 肉桂八分 黃芪二ク 大棗二枚 水煎溫服　如心有浮熱加燈心陰虛甚加熟地 外感去參加柴生姜 氣滯加木香少許 肺脈

洪大去黄芪加麥冬右尺有力去桂咳嗽去參芪加麥冬

按此方名為十全補正五臟均調氣血並補倘有外邪乘虛而入者正氣得此補助之功自能互相驅逐而邪無可容之地書曰補正而邪自除此之謂也含龍沙門奉書

坤化採真卷終

陸岸縣從令社阮籍助錢式拾貫

多福府知府黎仲卿助錢叁拾貫

順成分府同知府杜允正助拾貫

安勇縣知縣阮輝挺助錢叁拾貫